MEDITAÇÕES

Diagramação e Capa: Arquétipo Design+Comunicação
Fotolitos: Pró-texto Prepress Bureau
Impressão e acabamento: Editora e Gráfica Vida & Consciência

Revisão: Luciana Salgado G. Moreira
Tradução e notas: Fabio Cyrino

Dados Internacionais de Catalogação na Publicação (CIP)
(Câmara Brasileira do Livro, CBL, São Paulo, Brasil)

DONNE, John. (1572-1631)
Meditações / de John Donne ; traduzido por Fabio Cyrino - São Paulo : Landmark, 2007.

Título Original: Meditations
Extraídas das "Devoções para Ocasiões Emergentes"
ISBN 978-85-88781-32-0

1. Crônicas inglesas
2. Literatura inglesa
3. Meditações I. Título.

07-1799 CDD: 242

Índices para catálogo sistemático:

1. Meditações : Cristianismo 242
2. Reflexões: Cristianismo 242

EDITORA LANDMARK

Rua Alfredo Pujol, 285 - 12° andar - Santana
02017-010 - São Paulo - SP
Tel.: +55 (11) 6011-2566 / 6950-9095
E-mail: editora@editoralandmark.com.br

www.EDITORALANDMARK.com.br

Impresso no Brasil
Printed in Brazil
2007

JOHN DONNE

MEDITAÇÕES

Extraídas a partir das

"Devoções para Ocasiões Emergentes"

- Edição Bilíngüe -

LANDMARK

Devotions upon Emergent Occasions and Several Steps in my Sickness

Digested into

I. Meditations *upon our Humane Condition.*

2. Expostulations, *and Debatements with God.*

3. Prayers, *upon the severall occasions, to him.*

By Iohn Donne, *Deane of S. Pauls,* London.

London

Printed by A. M. for Thomas Iones.

1624

Devoções para Ocasiões Emergentes e os Distintos Estágios de minha Enfermidade

Compreendidas em

Meditações sobre nossa Condição Humana

Expostulações e Deliberações com Deus

Orações sobre Distintas Ocasiões dedicadas a Ele

Por John Donne, Deão da Catedral de São Paulo, em Londres.

Londres

Impressa por A. M. para Thomas Jones

TO THE MOST EXCELLENT PRINCE, PRINCE CHARLES.

MOST EXCELLENT PRINCE,

I HAVE had three births; one, natural, when I came into the world; one, supernatural, when I entered into the ministry; and now, a preternatural birth, in returning to life, from this sickness. In my second birth, your Highness' royal father vouchsafed me his hand, not only to sustain me in it, but to lead me to it. In this last birth, I myself am born a father: this child of mine, this book, comes into the world, from me, and with me. And therefore, I presume (as I did the father, to the Father) to present the son to the Son; this image of my humiliation, to the lively image of his Majesty, your Highness. It might be enough, that God hath seen my devotions: but examples of good kings are commandments; and Hezekiah writ the meditations of his sickness, after his sickness. Besides, as I have lived to see (not as a witness only, but as a partaker), the happiness of a part of your royal father's time, so shall I live (in my way) to see the happiness of the times of your Highness too, if this child of mine, inanimated by your gracious acceptation, may so long preserve alive the memory of Your Highness humblest and devotedest,

JOHN DONNE

AO MUI EXCELENTE PRÍNCIPE, PRÍNCIPE CHARLES

MUI EXCELENTE PRÍNCIPE,

PASSEI por três nascimentos: um, natural, quando vim a este mundo; um sobrenatural, quando ingressei no ministério; e agora, um nascimento contra a natureza, ao retornar à vida, a partir desta enfermidade. Em meu segundo nascimento, o real pai de Vossa Alteza me concedeu sua mão, não somente para me apoiar, mas para me conduzir para isto. Em meu último nascimento, eu mesmo fui o meu próprio pai: esta criança nascida de mim, este livro, vem ao mundo, a partir de mim, e em minha companhia. E assim, eu ouso (como eu fiz o pai, ao Pai) a apresentar o filho ao Filho, esta imagem de minha humilhação à imagem vívida de Sua Majestade, Vossa Alteza. Pode ser suficiente que Deus tenha visto minhas devoções, pois os exemplos de bons reis são os seus ordenamentos; e Ezequiel escreveu suas reflexões sobre sua doença após sua enfermidade. Além disso, eu tenho vivido como vejo (não apenas como uma testemunha, mas como um participante), a felicidade de fazer parte da época de vosso real pai, e assim eu viverei também (do meu modo) para ver a felicidade dos tempos de vossa Alteza, se este filho meu, destituído de vida diante de vossa graciosa aceitação, possa por muitos anos preservar viva a memória do mais humilde e devotado servo de Vossa Alteza.

JOHN DONNE

1

A primeira Alteração, o primeiro Rancor da Enfermidade

Insultus morbi primus

The first Alteration, the first Grudging of the Sickness

VARIABLE, and therefore miserable condition of man! This minute I was well, and am ill, this minute. I am surprised with a sudden change, and alteration to worse, and can impute it to no cause, nor call it by any name. We study health, and we deliberate upon our meats, and drink, and air, and exercises, and we hew and we polish every stone that goes to that building; and so our health is a long and a regular work: but in a minute a cannon batters all, overthrows all, demolishes all; a sickness unprevented for all our diligence, unsuspected for all our curiosity; nay, undeserved, if we consider only disorder, summons us, seizes us, possesses us, destroys us in an instant. Oh miserable condition of man! Which was not imprinted by God, who, as he is immortal himself, had put a coal, a beam of immortality into us, which we might have blown into a flame, but blew it out by our first sin; we beggared ourselves by hearkening after false riches, and infatuated ourselves by hearkening after false knowledge. So that now, we do not only die, but die upon the rack, die by the torment of sickness; nor that only, but are pre-afflicted, super-afflicted with these jealousies and suspicions and apprehensions of sickness, before we can call it a sickness: we are not sure we are ill; one hand asks the other by the pulse, and our eye asks our own urine how we do. Oh multiplied misery! we die, and cannot enjoy death, because we die in this torment of sickness; we are tormented with sickness, and cannot stay till the torment come, but pre-apprehensions and presages prophesy those torments which induce that death before either come; and our dissolution is conceived in these first changes, quickened in the sickness itself, and born in death, which bears date from these first changes. Is this the honour which man hath by being a little world, that he hath these earthquakes in himself, sudden shakings; these lightnings, sudden flashes; these thunders, sudden noises; these eclipses, sudden offuscations and darkening of his senses; these blazing stars, sudden fiery exhalations; these rivers of blood, sudden red waters? Is he a world to himself only therefore, that he hath enough in himself, not only to destroy and execute himself, but to presage that execution upon himself; to assist the sickness, to antedate the

VARIÁVEL, e conseqüentemente miserável, é a condição do homem! Nesse minuto estava bem e agora estou doente, no mesmo minuto. Surpreende-me essa mudança repentina, a alteração para pior, e não posso imputá-la nenhuma causa, nem chamá-la por nenhum nome. Estudamos a saúde, e deliberamos sobre nossas carnes, e bebemos e respiramos e nos exercitamos, além de talhar e polir cada pedra utilizada nessa construção; e assim a nossa saúde é um trabalho longo e regular, que em minutos um canhão abate a tudo, põe fim a tudo, demole tudo; uma enfermidade não prevista por toda a nossa diligência, inesperada por toda nossa curiosidade; e deste modo, injusta, se considerarmos somente a desordem, que nos exige, nos seqüestra, nos possui e destrói em instantes. Ó miserável condição do homem! Esta não foi imputada por Deus, uma vez que, sendo Ele imortal em Si, colocou uma brasa, um breve brilho de imortalidade dentro de nós, que poderíamos transformar em labareda, mas que é apagada pelo nosso pecado original; nós nos empobrecemos por darmos ouvido às falsas riquezas, e nos iludimos por darmos ouvido ao falso conhecimento. E, assim, nós não somente morremos, mas morremos pela tortura, morremos pelo tormento da enfermidade; e não somente por isso, mas nos atormentamos previamente, super atormentamos com essas invejas e suspeitas e apreensões da enfermidade, diante do que chamamos de doença: mesmo assim não estamos certos de nossa doença, pois uma das mãos busca o pulso da outra e os olhos procuram nosso estado em nossa urina. Ó miséria multiplicada! Nós morremos e não podemos desfrutar da morte, pois morremos neste tormento de enfermidade, pois nós somos atormentados pela doença, e não podemos aguardar até que a tormenta passe, mas são as apreensões e as profecias de presságios dessas tormentas que nos convencem de que a morte não tarda a chegar; e nossa dissolução é compreendida nessas primeiras mudanças, apressada pela própria doença, e nascida na morte que marca data através destas primeiras mudanças. É essa a honra que o homem carrega por ser um pequeno mundo em si, por ter esses terremotos dentro de si, transformados em tremores; relâmpagos em brilhos; trovões em ruídos; eclipses em ofuscações e escurecimento dos sentidos; estrelas flamejantes em exalações inflamáveis; rios de sangue em águas vermelhas? Ele é um mundo em si, então, que se satisfaz por si, não somente destruindo

sickness, to make the sickness the more irremediable by sad apprehensions, and, as if he would make a fire the more vehement by sprinkling water upon the coals, so to wrap a hot fever in cold melancholy, lest the fever alone should not destroy fast enough without this contribution, nor perfect the work (which is destruction) except we joined an artificial sickness of our own melancholy, to our natural, our unnatural fever. Oh perplexed discomposition, Oh riddling distemper, Oh miserable condition of man!

e executando-se, mas pressagiando a sua própria execução; para socorrer diante da doença, para se antecipar diante da doença, para fazer a doença mais irremediável através de tristes apreensões, e, como se pudéssemos tornar o fogo mais firme ao borrifar água sobre as brasas, ou aprisionar a febre alta em fria melancolia, de modo que a febre sozinha não pudesse destruir tão rapidamente sem essa contribuição, nem aperfeiçoar o trabalho (que é a destruição), exceto quando nós unimos uma enfermidade artificial de nossa própria melancolia à nossa febre, verdadeira ou não? Ó inconsistência perplexa. Ó destempero desperdiçado. Ó miserável condição do homem!

2

A Força e a função dos sentidos, e de outras faculdades, se altera e fracassa

Post actio laesa

The Strength and the function of the senses, and other faculties, change and fail

THE HEAVENS are not the less constant, because they move continually, because they move continually one and the same way. The earth is not the more constant, because it lies still continually, because continually it changes and melts in all the parts thereof. Man, who is the noblest part of the earth, melts so away, as if he were a statue, not of earth, but of snow. We see his own envy melts him, he grows lean with that; he will say, another's beauty melts him; but he feels that a fever doth not melt him like snow, but pour him out like lead, like iron, like brass melted in a furnace; it doth not only melt him, but calcine him, reduce him to atoms, and to ashes; not to water, but to lime. And how quickly? Sooner than thou canst receive an answer, sooner than thou canst conceive the question; earth is the centre of my body, heaven is the centre of my soul; these two are the natural places of these two; but those go not to these two in an equal pace: my body falls down without pushing; my soul does not go up without pulling; ascension is my soul's pace and measure, but precipitation my body's. And even angels, whose home is heaven, and who are winged too, yet had a ladder to go to heaven by steps. The sun which goes so many miles in a minute, the stars of the firmament which go so very many more, go not so fast as my body to the earth. In the same instant that I feel the first attempt of the disease, I feel the victory; in the twinkling of an eye I can scarce see; instantly the taste is insipid and fatuous; instantly the appetite is dull and desireless; instantly the knees are sinking and strengthless; and in an instant, sleep, which is the picture, the copy of death, is taken away, that the original, death itself, may succeed, and that so I might have death to the life. It was part of Adam's punishment, In the sweat of thy brows thou shalt eat thy bread: it is multiplied to me, I have earned bread in the sweat of my brows, in the labour of my calling, and I have it; and I sweat again and again, from the brow to the sole of the foot, but I eat no bread, I taste no sustenance: miserable distribution of mankind, where one half lacks meat, and the other stomach!

O FIRMAMENTO não é menos constante, uma vez que se move continuamente, pois continuamente ele se move e se move da mesma maneira. A terra não é mais constante, pois ela jaz, ainda que em movimento, pois continuamente ela se transforma e se dissolve em todas as partes possíveis. O Homem, que é a parte mais nobre da terra, se dissolve também, como se ele fosse uma estátua, não de terra, mas feita de neve. Percebemos sua própria inveja o dissolvendo, definhando-o com isso; ele diria que a beleza de outro o dissolve; ademais, ele sentiria que uma febre não o dissolveria como a neve, mas o verteria como o chumbo, como o ferro e o bronze derretido em uma fornalha. A inveja não somente o dissolve, mas o calcina, o reduz aos átomos e às cinzas; não à água, mas ao pó. E quão rapidamente isso? Quanto antes vós puderdes receber uma resposta, mais rápido vós compreendereis a questão; a terra é o centro de meu corpo e o céu, o centro de minha alma; esses são os lugares certos para esses dois; embora esses dois não prossigam de um modo igual: meu corpo cai mesmo sem ser empurrado; minha alma não ascende sem uma devida atração; a ascensão é a medida e o ritmo da minha alma, enquanto a precipitação é o do meu corpo. E mesmo os anjos, cuja morada é o céu, apesar de serem seres alados, mesmo assim se valeram de uma escada para atingir o céu por degraus. O sol que percorre tantos quilômetros em minutos, e as estrelas do firmamento que percorrem muitos quilômetros mais, não são tão rápidos quanto meu corpo em direção à terra. No mesmo instante que eu senti o primeiro sinal de enfermidade, eu senti a vitória; em um piscar de olhos eu pude ver com dificuldade; instantaneamente o gosto é insípido e ilusório; instantaneamente o apetite é tolo e carente de desejos; instantaneamente os joelhos se afundam e perdem a força; e em um instante, o sono, que é a imagem, a cópia da morte, é levado embora, para que a original, a morte em si, possa sucedê-lo, e que eu possa assim morrer para a vida. Isto faz parte da punição contra Adão: Comerás o pão com o suor de tua fronte: isso se multiplicou comigo, pois tenho obtido meu sustento com o suor do meu rosto, no labor do meu chamado, tenho obtido; e tenho suado e suado novamente, da minha fronte à sola de meu pé, mas não comi nenhum pão, não experimentei do meu sustento: miserável distribuição da humanidade, onde metade carece de carne e a outra, de estômago!

3

O paciente jaz em seu leito

Decubitus sequitur tandem

The patient takes his bed

WE attribute but one privilege and advantage to man's body above other moving creatures, that he is not, as others, grovelling, but of an erect, of an upright, form naturally built and disposed to the contemplation of heaven. Indeed it is a thankful form, and recompenses that soul, which gives it, with carrying that soul so many feet higher towards heaven. Other creatures look to the earth; and even that is no unfit object, no unfit contemplation for man, for thither he must come; but because man is not to stay there, as other creatures are, man in his natural form is carried to the contemplation of that place which is his home, heaven. This is man's prerogative; but what state hath he in this dignity? A fever can fillip him down, a fever can depose him; a fever can bring that head, which yesterday carried a crown of gold five feet towards a crown of glory, as low as his own foot to-day. When God came to breathe into man the breath of life, he found him flat upon the ground; when he comes to withdraw that breath from him again, he prepares him to it by laying him flat upon his bed. Scarce any prison so close that affords not the prisoner two or three steps. The anchorites that barked themselves up in hollow trees and immured themselves in hollow walls, that perverse man that barrelled himself in a tub, all could stand or sit, and enjoy some change of posture. A sick bed is a grave, and all that the patient says there is but a varying of his own epitaph. Every night's bed is a type of the grave; at night we tell our servants at what hour we will rise, here we cannot tell ourselves at what day, what week, what month. Here the head lies as low as the foot; the head of the people as low as they whom those feet trod upon; and that hand that signed pardons is too weak to beg his own, if he might have it for lifting up that hand. Strange fetters to the feet, strange manacles to the hands, when the feet and hands are bound so much the faster, by how much the cords are slacker; so much the less able to do their offices, by how much more the sinews and ligaments are the looser. In the grave I may speak through the stones, in the voice of my friends, and in the accents of those words which their love may afford my memory; here I am mine own ghost, and rather affright my beholders than instruct them; they conceive the worst of me now, and yet fear worse; they give me for dead now, and yet wonder how I do when they

NÓS possuímos uma vantagem e um privilégio com relação ao corpo do homem sobre as outras criaturas que se movem, que não ele, mas sim as demais que se rebaixam, que é o fato de sermos eretos, de postura ereta, naturalmente construída, e disposta para a contemplação do céu. De fato, esta é uma forma grata, e recompensa aquela alma, que a molda, transportando a alma que veio de muitos metros do alto no céu. Outras criaturas olham para o céu e, mesmo que não haja lá um objeto adequado, nenhuma contemplação adequada para o homem, é naquela direção que se deve ir; pois, além disso, o homem não permanece lá, como permaneceriam outras criaturas: o homem, em sua forma natural, é levado a contemplar aquele que é o seu lar, o céu. Essa é a prerrogativa do homem, mas qual é o lugar dele nessa dignidade? Uma febre pode nos abater, uma febre pode nos derrubar; uma febre pode fazer com que a cabeça que ontem carregava uma coroa de ouro, a cinco pés em direção a uma coroa de glória, hoje se nivele aos seus pés. Quando Deus exalou dentro do homem o sopro da vida, este se encontrava estendido junto ao chão; quando Ele retorna para tomar aquele sopro de volta novamente, Ele prepara o homem, fazendo-o deitar-se sobre um leito. Procure bem por qualquer prisão que não permita a seu prisioneiro dar dois ou três passos. Os eremitas que se lançam em flagelo em árvores ocas e se encarceram em paredes vazias, aqueles homens sem moral que se lançam para viver em barris, todos esses poderiam erguerem-se ou se sentarem, desfrutando das mudanças de postura. Uma cama de doente é como um túmulo, e tudo o que o paciente diz quando está lá, é nada mais que uma variação de seu próprio epitáfio. A cama de toda noite é um tipo de sepultura; à noite nós pedimos aos nossos servos a que horas desejamos acordar, aqui [na cama de um doente] nós não podemos dizer a nós mesmos em qual dia, qual semana ou qual mês. Aqui a cabeça jaz tão baixa quanto os pés; a mão das pessoas, em posição tão baixa quanto os pés que as conduzem; e a mão que concede o perdão é demasiadamente fraca para implorar por si mesma, se ao menos ele pudesse fazê-lo ao erguer esta mão. Estranhas cadeias para os pés, estranhas algemas para as mãos, quando os pés e as mãos são atados tão rapidamente, quanto das cordas não é a preguiça; quanto o menos capaz de fazer seus ofícios, quantos tendões e ligamentos não são

wake at midnight, and ask how I do to-morrow. Miserable, and (though common to all) inhuman posture, where I must practise my lying in the grave by lying still, and not practise my resurrection by rising any more.

perdidos? Em uma sepultura eu posso falar através das pedras, através das vozes de meus amigos, e na entonação daquelas palavras que o amor deles proporciona em minha memória; aqui está o fantasma de mim mesmo, e que mais amedronta aqueles que me contemplam do que os instrui; eles agora concebem o pior de mim, e ainda temem o pior; eles agora me dão como morto e desejam ainda saber como eu estou quando eles despertam no meio da noite, e se perguntam como estarei no dia de amanhã. Postura inumana e, de qualquer, forma comum a todos, miserável, onde eu devo praticar minha descida à sepultura estando ainda vivo, e nunca mais praticar minha ressurreição pela ascensão.

4

O médico foi chamado

Medicusque vocatur

The physician is sent for

IT is too little to call man a little world; except God, man is a diminutive to nothing. Man consists of more pieces, more parts than the world; than the world doth, nay, than the world is. And if those pieces were extended, and stretched out in man as they are in the world, man would be the giant, and the world the dwarf; the world but the map, and the man the world. If all the veins in our bodies were extended to rivers, and all the sinews to veins of mines, and all the muscles that lie upon one another, to hills, and all the bones to quarries of stones, and all the other pieces to the proportion of those which correspond to them in the world, the air would be too little for this orb of man to move in, the firmament would be but enough for this star; for, as the whole world hath nothing, to which something in man doth not answer, so hath man many pieces of which the whole world hath no representation. Enlarge this meditation upon this great world, man, so far as to consider the immensity of the creatures this world produces; our creatures are our thoughts, creatures that are born giants; that reach from east to west, from earth to heaven; that do not only bestride all the sea and land, but span the sun and firmament at once; my thoughts reach all, comprehend all. Inexplicable mystery; I their creator am in a close prison, in a sick bed, any where, and any one of my creatures, my thoughts, is with the sun, and beyond the sun, overtakes the sun, and over goes the sun in one pace, one step, everywhere. And then, as the other world produces serpents and vipers, malignant and venomous creatures, and worms and caterpillars, that endeavour to devour that world which produces them, and monsters compiled and complicated of divers parents and kinds; so this world, ourselves, produces all these in us, in producing diseases, and sicknesses of all those sorts: venomous and infectious diseases, feeding and consuming diseases, and manifold and entangled diseases made up of many several ones. And can the other world name so many venomous, so many consuming, so many monstrous creatures, as we can diseases of all these kinds? O miserable abundance, O beggarly riches! how much do we lack of having remedies for every disease, when as yet we have not names for them? But we have a Hercules against these giants, these monsters; that is, the physician; he musters up all the forces of the other world to succour

É muito pouco chamar um homem de um pequeno mundo; exceto por Deus, o homem é um diminutivo de nada. O homem consiste de mais peças, de mais partes que o mundo; não o que o mundo faz, mas sim o que o mundo é. E se aquelas peças fossem ampliadas, e fossem estendidas para o homem como elas se encontram no mundo, o homem seria um gigante, e o mundo, um anão; o mundo, um simples mapa, e o homem, o mundo. Se todas as veias de nossos corpos fossem estendidas a rios, e todos os tendões, a veios das minas, e todos os músculos que se sobrepõe uns aos outros, às colinas, e todos os ossos, às jazidas de pedras e todas as outras partes à proporção daquelas que correspondem a elas no mundo, o ar seria muito pouco para movimentar esse homem-mundo, e o firmamento não seria suficiente para essa estrela, pois, do mesmo modo que no mundo todo há coisas nas quais no homem não há resposta, também no homem há muitas partes nas quais não há representação no mundo. Amplie essa meditação sobre este grande mundo, o homem, tão distante em considerar a imensidão que as criaturas desse mundo produzem; nossas criaturas são os nossos pensamentos, criaturas estas que já nascem gigantes; que atingem o oriente e o ocidente e da terra ao céu; que não somente atravessam o mar e as terras secas com grandes passadas, mas abarcam o sol e o firmamento de uma só vez; meus pensamentos buscam tudo, abrangem tudo. Inexplicável mistério: eu, criador que sou deles, estou em uma prisão fechada, em um leito de um enfermo, enquanto qualquer uma de minhas criaturas, dos meus pensamentos, está com o sol, e além do sol, alcançando o sol, atingindo o sol em uma marcha, em um passo, em todo lugar. E, então, assim como o outro mundo produz serpentes e apsides, criaturas nocivas e venenosas, e vermes e lagartas, que se esforçam em devorar aquele mundo que os produz, e monstruosidades compiladas e intrincadas de pais e origens diversas, este mundo, nós mesmos, produz também tudo isso em nós, produzindo doenças e enfermidades de todo tipo: doenças venenosas e infecciosas, doenças que devoram e consomem, doenças multiplicadas e confundidas por diversas outras. E pode o outro mundo nomear tantas criaturas venenosas, tantas criaturas destruidoras, tantas criaturas monstruosas, assim como nós podemos nomear as doenças de toda sorte? Ó abundância miserável, ó riqueza desprezível! Quanto nos carece termos remédios para cada enfermidade, se nem ao menos conseguimos nomeá-las por inteiro? Mas nós possuímos um Hércules contra esses gigantes, esses monstros,

this, all nature to relieve man. We have the physician, but we are not the physician. Here we shrink in our proportion, sink in our dignity, in respect of very mean creatures, who are physicians to themselves. The hart that is pursued and wounded, they say, knows an herb, which being eaten throws off the arrow: a strange kind of vomit. The dog that pursues it, though he be subject to sickness, even proverbially, knows his grass that recovers him. And it may be true, that the drugger is as near to man as to other creatures; it may be that obvious and present simples, easy to be had, would cure him; but the apothecary is not so near him, nor the physician so near him, as they two are to other creatures; man hath not that innate instinct, to apply those natural medicines to his present danger, as those inferior creatures have; he is not his own apothecary, his own physician, as they are. Call back therefore thy meditation again, and bring it down: what's become of man's great extent and proportion, when himself shrinks himself and consumes himself to a handful of dust; what's become of his soaring thoughts, his compassing thoughts, when himself brings himself to the ignorance, to the thoughtlessness, of the grave? His diseases are his own, but the physician is not; he hath them at home, but he must send for the physician.

que é o médico, aquele que reúne todas as forças do outro mundo para socorrer este mundo, reúne toda natureza para aliviar o homem. Nós temos o médico, mas nós não somos o médico. Aqui nós nos reduzimos em proporção, reduzimo-nos em dignidade, em respeito a essas pobres criaturas que são os médicos eles mesmos. Diz-se que o cervo que é perseguido e ferido conhece uma erva que, ingerida, livra-o da flecha, por um estranho tipo de vômito. O cão que o persegue, julgando-o doente, mesmo por força da tradição conhece a relva que o recobre. E pode ser verdade que o boticário está mais próximo do homem do que as outras criaturas; e pode ser que as mais simples e óbvias plantas medicinais, tão fáceis de se encontrar, as curem de fato, mas o boticário não está assim tão próximo dele, nem o médico o está, pois eles são apenas duas outras criaturas; o homem não possui aquele instinto natural para aplicar aqueles remédios naturais ao perigo presente, do mesmo modo que as criaturas inferiores possuem; ele não é o seu próprio boticário, nem o seu próprio médico, do mesmo modo que elas o são. Retornai então à vossa meditação e humilhai-vos a ela: o que acontece à grande extensão e proporção do homem quando ele mesmo se reduz e se consome até um punhado de pó; o que acontece aos seus altivos pensamentos, aos seus pensamentos compreendidos, quando ele se dirige por si mesmo à ignorância e à negligência do túmulo? Suas doenças apenas pertencem a ele mesmo, mas o médico não; ele é o dono de seu lar, mas deve buscar por seu médico.

5

O médico chega

Solus adest

The physician comes

AS sickness is the greatest misery, so the greatest misery of sickness is solitude; when the infectiousness of the disease deters them who should assist from coming; even the physician dares scarce come. Solitude is a torment which is not threatened in hell itself. Mere vacuity, the first agent, God, the first instrument of God, nature, will not admit; nothing can be utterly empty, but so near a degree towards vacuity as solitude, to be but one, they love not. When I am dead, and my body might infect, they have a remedy, they may bury me; but when I am but sick, and might infect, they have no remedy but their absence, and my solitude. It is an excuse to them that are great, and pretend, and yet are loath to come; it is an inhibition to those who would truly come, because they may be made instruments, and pestiducts, to the infection of others, by their coming. And it is an outlawry, an excommunication upon the patient, and separates him from all offices, not only of civility, but of working charity. A long sickness will weary friends at last, but a pestilential sickness averts them from the beginning. God himself would admit a figure of society, as there is a plurality of persons in God, though there be but one God; and all his external actions testify a love of society, and communion. In heaven there are orders of angels, and armies of martyrs, and in that house many mansions; in earth, families, cities, churches, colleges, all plural things; and lest either of these should not be company enough alone, there is an association of both, a communion of saints which makes the militant and triumphant church one parish; so that Christ was not out of his diocese when he was upon the earth, nor out of his temple when he was in our flesh. God, who saw that all that he made was good, came not so near seeing a defect in any of his works, as when he saw that it was not good for man to be alone, therefore he made him a helper; and one that should help him so as to increase the number, and give him her own, and more society. Angels, who do not propagate nor multiply, were made at first in an abundant number, and so were stars; but for the things of this world, their blessing was, Increase; for I think, I need not ask leave to think, that there is no phoenix; nothing singular, nothing alone. Men that inhere upon nature only, are so far from thinking that

Assim como a enfermidade é o maior dos sofrimentos, o maior pesar da enfermidade é a solidão: quando a infecção da doença impede aqueles que deveriam assisti-lo de se aproximarem; mesmo o médico raramente ousa vir. A solidão é um tormento que não põe em risco o próprio inferno. Simples vacuidade, o primeiro agente, Deus, o primeiro instrumento de Deus, a natureza, não admitiria; nada pode ser totalmente vazio, mas algo tão próximo do vácuo quanto a solidão pode ser, não poderia ser amada por ambos. Quando eu estiver morto e meu corpo puder infectar, haverá um remédio, que será o de me enterrar; mas enquanto eu estiver doente e puder infectar, não terão nenhum outro remédio que não seja suas ausências e a minha solidão. É uma desculpa para eles que são grandes e que fingem ainda o contrário de vir; é uma inibição para aqueles que verdadeiramente viriam, eles poderiam ser feitos de instrumentos e contaminar por infecção outros que veriam. E isso é uma condenação, uma excomunhão sobre o paciente, e separá-lo de todos os ofícios, não somente os da civilidade, mas também do trabalho de caridade. Uma longa doença aborrece os amigos até não poder mais, mas uma doença pestilenta desvia-os desde o início. O próprio Deus admitiria uma figura da sociedade, como há uma pluralidade de pessoas em Deus, embora haja apenas um Deus; e todas as Suas ações externas atestam um amor da sociedade e sua comunhão. No seu céu há ordens angelicais e exércitos de mártires, naquela casa de muitas moradas; na terra, famílias, cidades, igrejas, faculdades, todas as coisas plurais; e para que todas essas não deixem de ter a companhia necessária, há uma associação de ambos, uma comunhão de santos que tornam da igreja militante e triunfante uma comunidade; e assim Cristo não estava isolado de sua diocese quanto esteve sobre a terra, nem isolado de seu templo quando foi feito carne. Deus, que viu que todas as coisas que tinha feito eram boas, não sendo capaz de ver um defeito sequer em toda Sua obra, percebeu que não seria bom para o homem estar sozinho e desse modo fez para ele uma companheira; aquela que deveria ajudá-lo a crescer em número e doar-se a ele, e assim à sociedade. Anjos, que não se propagam nem se multiplicam, foram criados inicialmente em número abundante, assim como as estrelas, mas para os assuntos deste mundo, Sua benção era, Crescei; por isso eu penso, pois não preciso pedir a ninguém para pensar,

there is any thing singular in this world, as that they will scarce think that this world itself is singular, but that every planet, and every star, is another world like this; they find reason to conceive not only a plurality in every species in the world, but a plurality of worlds; so that the abhorrers of solitude are not solitary, for God, and Nature, and Reason concur against it. Now a man may counterfeit the plague in a vow, and mistake a disease for religion, by such a retiring and recluding of himself from all men as to do good to no man, to converse with no man. God hath two testaments, two wills; but this is a schedule, and not of his, a codicil, and not of his, not in the body of his testaments, but interlined and post scribed by others, that the way to the communion of saints should be by such a solitude as excludes all doing of good here. That is a disease of the mind, as the height of an infectious disease of the body is solitude, to be left alone: for this makes an infectious bed equal, nay, worse than a grave, that though in both I be equally alone, in my bed I know it, and feel it, and shall not in my grave: and this too, that in my bed my soul is still in an infectious body, and shall not in my grave be so.

que não existe nada como a fênix: nada singular, nada isolado. Os homens que fazem parte da natureza somente estão tão distantes de pensar que há alguma coisa singular neste mundo que eles raramente pensarão que este mundo em si é algo singular, pois cada planeta, cada estrela é um mundo como este; eles encontrariam razão para conceber não somente uma pluralidade em todas as espécies do mundo, mas uma pluralidade de mundos; sendo assim aqueles que abominam a solidão não são solitários, pois Deus, a Natureza e a Razão concorrem contra isto. Agora um homem pode conjurar a praga por um juramento, e equivocar-se por uma doença pela religião, pois tanto o mais recluso e recatado homem entre todos os homens também não faria o bem para nenhum homem, nem conversaria com nenhum homem. Deus possui dois testamentos, duas vontades; mas em tudo isso há um plano, não Dele, uma alteração do que está escrito, não por parte Dele, não no todo de Seus testamentos, mas entrelaçado e subscrito por outros, que o caminho para a comunhão dos santos deveria adotar quando tal solidão exclui tudo de bom que se faz aqui. Essa é a doença da mente, assim como o peso de uma enfermidade infecciosa do corpo é a solidão, ser deixado sozinho, pois isso faz com que o leito de um doente se equivalha, ou seja pior, que uma sepultura, pois pensando em ambos eu estaria igualmente sozinho, em minha cama que conheço e sinto, e não em minha sepultura: e assim também que em minha cama minha alma ainda se encontra em um corpo infectado, e não em minha sepultura, onde deveria estar.

6

O temor do médico

Metuit

The physician is afraid

I OBSERVE the physician with the same diligence as he the disease; I see he fears, and I fear with him; I overtake him, I overrun him, in his fear, and I go the faster, because he makes his pace slow; I fear the more, because he disguises his fear, and I see it with the more sharpness, because he would not have me see it. He knows that his fear shall not disorder the practice and exercise of his art, but he knows that my fear may disorder the effect and working of his practice. As the ill affections of the spleen complicate and mingle themselves with every infirmity of the body, so doth fear insinuate itself in every action or passion of the mind; and as wind in the body will counterfeit any disease, and seem the stone, and seem the gout, so fear will counterfeit any disease of the mind. It shall seem love, a love of having; and it is but a fear, a jealous and suspicious fear of losing. It shall seem valour in despising and undervaluing danger; and it is but fear in an overvaluing of opinion and estimation, and a fear of losing that. A man that is not afraid of a lion is afraid of a cat; not afraid of starving, and yet is afraid of some joint of meat at the table presented to feed him; not afraid of the sound of drums and trumpets and shot and those which they seek to drown, the last cries of men, and is afraid of some particular harmonious instrument; so much afraid as that with any of these the enemy might drive this man, otherwise valiant enough, out of the field. I know not what fear is, nor I know not what it is that I fear now; I fear not the hastening of my death, and yet I do fear the increase of the disease; I should belie nature if I should deny that I feared this; and if I should say that I feared death, I should belie God. My weakness is from nature, who hath but her measure; my strength is from God, who possesses and distributes infinitely. As then every cold air is not a damp, every shivering is not a stupefaction; so every fear is not a fearfulness, every declination is not a running away, every debating is not a resolving, every wish that it were not thus, is not a murmuring nor a dejection, though it be thus; but as my physician's fear puts not him from his practice, neither doth mine put me from receiving from God, and man, and myself, spiritual and civil and moral assistances and consolations.

EU OBSERVO o médico com a mesma diligência que ele possui com a enfermidade. Eu vejo que ele teme e eu o temo. Eu o ataco, eu o invado através de seu temor, e eu o faço rapidamente, pois ele diminui o seu ritmo. Eu o temo mais ainda, pois ele disfarça o seu temor, e eu o percebo cada vez mais sutilmente, pois ele não sabe que eu sei. Ele sabe que o seu temor não altera a prática e o exercício de sua arte, mas ele sabe que o meu temor altera o efeito e o funcionamento da sua prática. Do mesmo modo que as danosas afeições do ressentimento complicam-se e se misturam a toda debilidade do corpo, assim o medo se insinua por si em cada ação ou aborrecimento da mente; e do mesmo modo que o vento contra o corpo pode produzir falsamente uma doença qualquer, parecendo enrijecer, produzindo a gota, assim o medo pode produzir falsamente uma doença qualquer da mente. Pode aparentar ser amor, um amor de necessidade; e mesmo assim pode ser um temor, um ciúme, e o medo cheio de dúvidas da perda. Pode parecer um ato de heroísmo ao desprezar e subestimar o perigo; e mesmo assim temer uma supervalorização da opinião e da avaliação, e o temor da perda em si. Um homem que não teme um leão pode temer um gato; pode não temer a fome e ainda assim temer uma porção de uma refeição colocada à mesa para alimentá-lo; não temer o som dos tambores e trompetes, dos disparos e daqueles que nos procuram derrubar, o derradeiro clamor dos homens, e ainda assim temer algum instrumento harmonioso em particular; tanto medo quanto qualquer um desses faz com que o inimigo possa levar o homem, por mais valente que seja, para fora de seu rumo. Eu não sei o que o medo significa, nem sei o que é isso que temo agora; eu não temo a precipitação de minha morte, e ao mesmo tempo temo realmente o aumento da enfermidade; eu estaria ocultando a natureza se negasse que temo a isso, e se dissesse que temo a morte, estaria negando Deus. Minha fraqueza vem da minha natureza, que tem sua própria medida, pois minha força vem de Deus, que a possui e distribui infinitamente. Assim como nem todo ar frio é uma geada, todo tremor não é uma estupefação, assim como todo medo não é um temor, toda declinação não é uma fuga, toda discussão não leva a uma solução, apesar de ser sempre assim, do mesmo modo o temor de meu médico não o afasta de sua prática, nem me impede de receber de Deus, dos homens e de mim mesmo as assistências e consolações morais, espirituais e cíveis.

7

O médico deseja que outros se unam a ele

Socios sibi jungier instat

The physician desires to have others joined with him

THERE is more fear, therefore more cause. If the physician desire help, the burden grows great: there is a growth of the disease then; but there must be an autumn too; but whether an autumn of the disease or me, it is not my part to choose; but if it be of me, it is of both; my disease cannot survive me, I may overlive it. Howsoever, his desiring of others argues his candour, and his ingenuity; if the danger be great, he justifies his proceedings, and he disguises nothing that calls in witnesses; and if the danger be not great, he is not ambitious, that is so ready to divide the thanks and the honour of that work which he begun alone, with others. It diminishes not the dignity of a monarch that he derives part of his care upon others; God hath not made many suns, but he hath made many bodies that receive and give light. The Romans began with one king; they came to two consuls; they returned in extremities to one dictator: whether in one or many, the sovereignty is the same in all states and the danger is not the more, and the providence is the more, where there are more physicians; as the state is the happier where businesses are carried by more counsels than can be in one breast, how large so ever. Diseases themselves hold consultations, and conspire how they may multiply, and join with one another, and exalt one another's force so; and shall we not call physicians to consultations? Death is in an old man's door, he appears and tells him so, and death is at a young man's back, and says nothing; age is a sickness, and youth is an ambush; and we need so many physicians as may make up a watch, and spy every inconvenience. There is scarce any thing that hath not killed somebody; a hair, a feather hath done it; nay, that which is our best antidote against it hath done it; the best cordial hath been deadly poison. Men have died of joy, and almost forbidden their friends to weep for them, when they have seen them die laughing. Even that tyrant, Dionysius (I think the same that suffered so much after), who could not die of that sorrow, of that high fall, from a king to a wretched private man, died of so poor a joy as to be declared by the people at a theatre that he was a good poet. We say often that a man may live of a little; but, alas, of how much less may a man die? And therefore the more assistants the better. Who comes to a day of hearing, in a cause of any importance,

QUANTO mais medo, maior a causa. Se o médico deseja ajudar, a apreensão cresce enormemente: há então um crescimento da doença, além de haver um outono também, mas seja esse um outono da doença ou meu, a escolha não cabe a mim; sendo meu, será de ambos, pois minha doença não sobrevive a mim, mas eu sim a ela. De qualquer maneira, seu desprendimento pelos outros discute com sua candura e sua ingenuidade, pois se o perigo é grande, ele justifica os seus procedimentos e oculta tudo o que pode ser usado como testemunha; se o perigo não é grande, ele não ambiciona, pois assim ele está pronto para dividir os agradecimentos e a honra daquele trabalho que começara sozinho com outros. Deus não criou muitos sóis, mas criou muitos corpos para receber e dar luz. Os romanos começaram com um rei; depois tiveram dois cônsules, e retornaram aos extremos do poder de um ditador: seja um ou mais, a soberania é a mesma em todos os Estados e o perigo não é menor, e a providência é maior onde houver mais médicos, assim como a situação é mais favorável onde os negócios são levados por mais conselhos do que apenas por uma opinião, tão amplos quanto possíveis. As próprias enfermidades exigem consultas e conspiram para se multiplicarem, e, unindo-se com uma outra, elevam-se pela força da outra e, assim, não poderíamos chamar os médicos de consultores? A morte está diante da porta de um ancião; ela aparece e com ele conversa, e quando a morte está nas costas de um jovem, ela nada diz; a idade é uma doença e a juventude é uma emboscada, é por isso que tantos médicos são necessários para vigiar e espiar cada inconveniente. Não há praticamente nada que não possa matar alguma pessoa: um cabelo ou uma pena pode fazê-lo; nem tão pouco, o que antes era o nosso melhor antídoto pode fazê-lo; a bebida mais refrescante pode tornar-se-ia um veneno fatal. Os homens podem morrer de satisfação e, assim, proíbem seus amigos de derramarem lágrimas quando são vistos morrendo de alegria. Mesmo aquele tirano, Dionísio (acredito que o mesmo que sofreria tanto logo após), que não podia morrer daquela dor, daquele alto outono, sendo um rei e decaindo a um miserável homem comum, morreu tão pobre e tão satisfeito por ter o povo declarado em um teatro que ele havia sido um bom poeta. Freqüentemente dizemos que um homem pode viver com pouco, mas, ai de mim, com quão pouco pode um homem morrer? E então, quanto mais assistentes melhor. Quem se recupera de um dia

with one advocate? In our funerals we ourselves have no interest; there we cannot advise, we cannot direct; and though some nations (the Egyptians in particular) built themselves better tombs than houses because they were to dwell longer in them, yet amongst ourselves, the greatest man of style whom we have had, the Conqueror, was left, as soon as his soul left him, not only without persons to assist at his grave but without a grave. Who will keep us then we know not; as long as we can, let us admit as much help as we can; another and another physician is not another and another indication and symptom of death, but another and another assistant, and proctor of life: nor do they so much feed the imagination with apprehension of danger, as the understanding with comfort. Let not one bring learning, another diligence, another religion, but every one bring all; and as many ingredients enter into a receipt, so may many men make the receipt. But why do I exercise my meditation so long upon this, of having plentiful help in time of need? Is not my meditation rather to be inclined another way, to condole and commiserate their distress who have none? How many are sicker (perchance) than I, and laid in their woeful straw at home (if that corner be a home), and have no more hope of help, though they die, than of preferment, though they live! Nor do more expect to see a physician then, than to be an officer after; of whom, the first that takes knowledge, is the sexton that buries them, who buries them in oblivion too! For they do but fill up the number of the dead in the bill, but we shall never hear their names, till we read them in the book of life with our own. How many are sicker (perchance) than I, and thrown into hospitals, where (as a fish left upon the sand must stay the tide) they must stay the physician's hour of visiting, and then can be but visited! How many are sicker (perchance) than all we, and have not this hospital to cover them, not this straw to lie in, to die in, but have their gravestone under them, and breathe out their souls in the ears and in the eyes of passengers, harder than their bed, the flint of the street? That taste of no part of our physic, but a sparing diet, to whom ordinary porridge would be julep enough, the refuse of our servants bezoar enough, and the off scouring of our kitchen tables cordial enough. O my soul, when thou art not enough awake to bless thy God enough for his plentiful mercy in affording thee many helpers, remember how many lack them, and help them to them or to those other things which they lack as much as them.

de audição, em uma causa de qualquer importância, com um advogado? Em nossos funerais não temos nenhum interesse; lá nós não podemos aconselhar; não podemos supervisionar, e embora algumas nações, os egípcios em particular, tenham construído para si tumbas melhores que próprias casas, pois residiriam mais tempo ali, ainda que entre nós mesmos, o maior dos homens que tivemos entre nós, o Conquistador, fosse deixado, assim que sua alma o abandonou, não somente sem nenhuma pessoa para assisti-lo em sua sepultura, mas também sem uma tumba. Quem nos manterá lá, não sabemos, pois tanto quanto pudermos, devemos admitir como muita qualquer ajuda que pudermos; um ou outro médico não é uma ou outra indicação e sintoma da morte, mas sim um ou outro assistente e guarda da vida: tanto eles, de fato, alimentam a imaginação com apreensão do perigo quanto o entendimento com conforto. Que um não traga aprendizado, outra diligência e outra religião, mas sim que todos tragam tudo isso junto, e uma vez que muitos ingredientes entram em uma receita, que possam muitos homens produzi-la. Mas por que eu exercito minhas meditações tanto tempo com relação a isso, tendo tanta ajuda nesses tempos de necessidade? Não está minha meditação melhor inclinada a outro meio que se condoer e lamentar sua agonia àqueles que nada têm? Quantos (provavelmente) não estão mais doentes do que eu, e jazem sobre um infeliz leito de palha em casa (se essa pudesse ser chamada de casa) e, não tendo mais esperança de ajuda, pensam em morrer do mesmo modo que uma melhora os levam a pensar em viver! Nem esperam tanto para ver um médico quanto um escrivão depois, dos quais o primeiro traz o conhecimento, pois é o sacristão que os enterram, que os enterram também em esquecimento! Pois não fazem nada mais do que preencher o número de óbitos no registro, embora nunca venhamos a ouvir seus nomes, até que leiamos no livro da vida o nosso próprio nome. Quantos (provavelmente) não estão mais doentes do que eu, e, lançados em hospitais, onde (assim como o peixe é lançado na areia à espera da maré) devem esperar a hora da ronda do médico para então poderem ser visitados! Quantos (provavelmente) não estão mais doentes do que todos nós, e não têm nem um hospital para socorrê-los, nem um feixe de palha para deitarem e nele morrerem, e têm suas lápides sob eles, exalando suas almas nos ouvidos e olhos dos transeuntes, tendo o calçamento das ruas como o mais duro dos leitos? Pois o sabor de nenhuma parte de nosso corpo é, além de uma dieta escassa, para aqueles a quem um mingau comum intragável o suficiente, a recusa de nossas servas entranhas e o esfregar das mesas de preparo de nossas cozinhas. Ó minha alma, quando vós não estais suficientemente desperta para Deus, suficientemente repleta para a misericórdia de vossos auxiliares, lembrai-vos quanta falta eles vos fazem, e ajudai-vos para eles e para aquelas outras coisas que eles estão perdidos em suas existências.

8

O rei encaminha o seu próprio médico

Et rex ipse suum mittit

The King sends his own physician

STILL when we return to that meditation that man is a world, we find new discoveries. Let him be a world, and himself will be the land, and misery the sea. His misery (for misery is his, his own; of the happiness even of this world, he is but tenant, but of misery the freeholder; of happiness he is but the farmer, but the usufructuary, but of misery the lord, the proprietary), his misery, as the sea, swells above all the hills, and reaches to the remotest parts of this earth, man; who of himself is but dust, and coagulated and kneaded into earth by tears; his matter is earth, his form misery. In this world that is mankind, the highest ground, the eminentest hills, are kings; and have they line and lead enough to fathom this sea, and say, My misery is but this deep? Scarce any misery equal to sickness, and they are subject to that equally with their lowest subject. A glass is not the less brittle, because a king's face is represented in it; nor a king the less brittle, because God is represented in him. They have physicians continually about them, and therefore sickness, or the worst of sicknesses, continual fear of it. Are they gods? He that called them so cannot flatter. They are gods, but sick gods; and God is presented to us under many human affections, as far as infirmities: God is called angry, and sorry, and weary, and heavy, but never a sick God; for then he might die like men, as our gods do. The worst that they could say in reproach and scorn of the gods of the heathen was, that perchance they were asleep; but gods that are so sick as that they cannot sleep are in an infirmer condition. A god, and need a physician? A Jupiter, and need an Aesculapius? That must have rhubarb to purge his choler lest he be too angry, and agarick to purge his phlegm lest he be too drowsy; that as Tertullian says of the Egyptian gods, plants and herbs, that "God was beholden to man for growing in his garden," so we must say of these gods, their eternity (an eternity of threescore and ten years) is in the

QUANDO retornamos mais uma vez àquela meditação sobre o homem ser um mundo, encontramos novas descobertas. Deixai-o ser um mundo e ele mesmo será a terra e o pesar dos mares. Seu sofrimento (pois mísero ele é, ele próprio: mesmo de felicidade neste mundo, do qual ele é apenas um inquilino, além do sofrimento do senhorio; de felicidade, pois ele nada é além de um fazendeiro, nada além de um usufrutuário, nada além do pesar do senhor proprietário de terras), seu sofrimento, como o mar, que cresce sobre todas as colinas e atinge os mais remotos rincões desta terra, o homem; que é ele mesmo nada além de pó, coagulado e misturado a terra pelas lágrimas; sua substância é a terra, sua forma sofrida. Neste mundo que é a humanidade, as terras altas, as colinas de maiores destaques, são os reis; e têm eles força e liderança suficientes para enfrentar este mar e dizer: Meu pesar é assim tão profundo? Não tão raro qualquer sofrimento é igual à enfermidade, e eles são temas que todos nivelam sob o mais baixo dos temas. Uma taça não é menos frágil por ter a face de um rei nela representada; nem um rei é menos frágil por Deus nele estar representado. Eles possuem médicos continuamente ao seu dispor, e, mesmo assim, a doença, a pior das enfermidades, continua a amedrontá-los. Eles são deuses? Aquele que assim os chama, não os está adulando. Eles são deuses, mas deuses doentes; e Deus é apresentado a nós sob muitas das aflições humanas, assim como as enfermidades: Deus é conhecido por sua ira, por sua compaixão, esgotamento e grandiosidade, mas nunca por ser um Deus doente; pois Ele pode morrer como os homens, como os nossos deuses fazem. O pior que eles poderiam dizer em repreensão e em desprezo aos deuses dos gentios é que provavelmente estão adormecidos; mas os deuses que são tão doentes quanto eles são não podem adormecer sem estarem em uma condição inferior. Um deus precisaria de um médico? Júpiter precisaria de Esculápio[1]? Assim eles precisariam de ruibarbo para purgar sua cólera para que não ficassem muito irados, e de agárico, para purgar sua paciência, para

[1] Esculápio era o deus romano da Medicina e da cura. Foi herdado diretamente da religião grega, na qual tinha as mesmas propriedades, mas com uma denominação sutilmente diferente: Asclépio. Segundo reza o mito, Esculápio nasceu como mortal, mas depois da sua morte foi-lhe concedida a imortalidade, transformando-se na Constelação de Ofiúco. Curiosamente na provincia da Lusitânia (atual território de Portugal), Esculápio era especialmente venerado, enquanto que em Roma era considerado uma divindade menor. (N.T.)

apothecary's shop, and not in the metaphorical deity. But their deity is better expressed in their humility than in their height; when abounding and overflowing, as God, in means of doing good, they descend, as God, to a communication of their abundances with men according to their necessities, then they are gods. No man is well that understands not, that values not his being well; that hath not a cheerfulness and a joy in it; and whosoever hath this joy hath a desire to communicate, to propagate that which occasions his happiness and his joy to others; for every man loves witnesses of his happiness, and the best witnesses are experimental witnesses; they who have tasted of that in themselves which makes us happy. It consummates therefore, it perfects the happiness of kings, to confer, to transfer, honour and riches, and (as they can) health, upon those that need them.

que não ficassem indolentes por demasiado. Assim Tertuliano[2] dizia dos deuses dos egípcios, das plantas e das ervas: "Deus estava agradecido ao homem pelo crescimento de seu jardim", assim nós devemos dizer desses deuses, que suas eternidades (eternidades de sessenta e tantos anos) encontram-se na loja de um boticário, e não na divindade metafórica. Mas sua divindade é melhor expressada em sua humildade que em sua estatura; pois quando abundam e provêem, como Deus, os meios de trazer proveitos, eles descendem, como Deus, a uma comunicação de suas riquezas com os homens de acordo com suas necessidades, assemelhando-se então a deuses. Nenhum homem é tão correto que não entenda que o verdadeiro valor não é ser correto; que não é possuir a jovialidade e a satisfação em si, e que todo aquele que possua essa satisfação deve possuir um desejo de comunicar, de propagar em certas ocasiões sua felicidade e sua satisfação aos outros; pois todo homem ama dar testemunho de sua felicidade e o melhor testemunho são os testemunhos práticos, aqueles que experimentamos em nós mesmos, aqueles que nos fazem felizes. Realizando-se então, é que se torna de forma perfeita a felicidade de reis, conferindo, transferindo, honrando e enriquecendo, e também (à medida de suas possibilidades) conceder saúde a todos aqueles que dela precisam.

[2] Tertuliano: (Cartago: * 150 e 155 d.C. - + 222 d.C.): exerceu a profissão de advogado até quando, em 193, converteu-se ao cristianismo, passando a exercer também a atividade de catequista. Em 207, ingressa no movimento montanista, movimento este que declarava que seus membros eram tomados pelo Espírito Santo, e sendo assim eram capazes de profetizar. Seu primeiro livro foi *Apologética*, concluído em 197, no qual defende os cristãos das perseguições romanas. Também escreveu *Contra Marcião*, obra na qual critica Marcião de Sinope e sua doutrina gnóstica, e *Sobre a Coroa dos Militares*, onde escreve que os cristãos não devem ser se engajar nas forças militares de suas nações. Um dos seus mais importantes textos é sobre a apologia principalmente em sua obra *Contra Práxeas*, onde defende a doutrina da Santíssima Trindade. Acredita-se que tenha fundado um grupo próprio antes de sua morte. (N.T.)

9

Sob sua consulta, eles prescrevem

Medicamina scribunt

Upon their consultation they prescribe

THEY have seen me and heard me, arraigned me in these fetters and received the evidence; have cut up mine own anatomy, dissected myself, and they are gone to read upon me. O how manifold and perplexed a thing, nay, how wanton and various a thing, is ruin and destruction! God presented to David three kinds, war, famine and pestilence; Satan left out these, and brought in fires from heaven and winds from the wilderness. If there were no ruin but sickness, we see the masters of that art can scarce number, not name all sicknesses; every thing that disorders a faculty, and the function of that, is a sickness; the names will not serve them which are given from the place affected, the pleurisy is so; nor from the effect which it works, the falling sickness is so; they cannot have names enough, from what it does, nor where it is, but they must extort names from what it is like, what it resembles, and but in some one thing, or else they would lack names; for the wolf, and the canker, and the polypus are so; and that question whether there be more names or things, is as perplexed in sicknesses as in any thing else; except it be easily resolved upon that side that there are more sicknesses than names. If ruin were reduced to that one way, that man could perish no way but by sickness, yet his danger were infinite; and if sickness were reduced to that one way, that there were no sickness but a fever, yet the way were infinite still; for it would overload and oppress any natural, disorder and discompose any artificial, memory, to deliver the names of several fevers; how intricate a work then have they who are gone to consult which of these sicknesses mine is, and then which of these fevers, and then what it would do, and then how it may be countermined. But even in ill it is a degree of good when the evil will admit consultation. In many diseases, that which is but an accident, but a symptom of the main disease, is so violent, that the physician must attend the cure of that, though he pretermit (so far as to intermit) the cure of the disease itself. Is it not so in states too? Sometimes the insolence of those that are great puts the people into commotions; the great disease, and the greatest danger to the head, is the insolence of the great ones; and yet they execute martial law, they come to present executions upon

ELES têm me visto e ouvido, ataram-me nestes grilhões e constataram a evidência; tendo cortado minha própria anatomia, dissecado a mim mesmo, encontram-se eles prontos para me examinar. Ó, quão múltiplo e perplexo, além de libertino e diverso, é algo que leva à ruína e destruição! Deus presenteou Davi com três desses: guerra, fome e peste; Satã os entregou e trouxe o fogo dos céus e a discórdia dos desertos. Se não houvesse ruína, mas sim doença, nós viríamos os mestres daquela arte diminuir em número sem nomear todas as doenças; tudo o que causa desordem à capacidade e à função dessa é uma doença; os nomes não servirão para designar a origem do local afetado: a pleurisia é assim; nem os efeitos que ela produz: a disenteria é assim; assim eles não têm nomes suficientes para dar, nem sobre as origens nem sobre onde atingem, mas eles devem arrancar nomes do que parecem, do que se assemelham, e mesmo assim, em alguns casos, faltar-lhes-iam nomes; para o tumor, o cancro e o pólipo são assim; e essa questão – se há mais nomes ou coisas – é tão perplexa com relação à doença quanto qualquer outra coisa mais; excetuando-se ser mais facilmente resolvido o lado de haver mais doenças do que nomes. Se a ruína for reduzida a um único modo, qual seja a do homem perecer unicamente pela doença, ainda assim seu perigo seria infinito; e se a doença for reduzida a um único modo, qual seja a da doença ser nada além de uma febre, ainda assim esse modo será infinito, pois ela sobrecarregaria e oprimiria qualquer desordem natural e descomporia qualquer lembrança artificial, para conceber os nomes dos diversos tipos de febre; por mais intricado que um trabalho então possa ser, aqueles que são consultados para determinar qual é a minha enfermidade, e qual dos tipos de febre possa ser, e, deste modo, o que ela seria, para então se determinar seu combate. Mas, mesmo na doença, há um grau de bondade quando o mal admite ser consultado. Em muitas doenças, excetuando-se as causadas por acidentes, o sintoma da doença principal é tão violento que o médico deve ocupar-se da cura, apesar dele negligenciar (ou, até o momento, interromper) a cura da doença em si. E também não é assim com o estado das coisas? Algumas vezes a insolência daqueles que são grandes conduzem o povo a comoções; a grande enfermidade, e o maior dos perigos da mente, são a insolência dos grandes, e assim executam leis marciais, realizando execuções diante do povo, cuja comoção é verdadeira, se não um sintoma, sendo um incidente da doença principal, pois desse

the people, whose commotion was indeed but a symptom, but an accident of the main disease; but this symptom, grown so violent, would allow no time for a consultation. Is it not so in the accidents of the diseases of our mind too? Is it not evidently so in our affections, in our passions? If a choleric man be ready to strike, must I go about to purge his choler, or to break the blow? But where there is room for consultation things are not desperate. They consult, so there is nothing rashly, inconsiderately done; and then they prescribe, they write, so there is nothing covertly, disguisedly, unadvisedly done. In bodily diseases it is not always so; sometimes, as soon as the physician's foot is in the chamber, his knife is in the patient's arm; the disease would not allow a minute's forbearing of blood, nor prescribing of other remedies. In states and matter of government it is so too; they are sometimes surprised with such accidents, as that the magistrate asks not what may be done by law, but does that which must necessarily be done in that case. But it is a degree of good in evil, a degree that carries hope and comfort in it, when we may have recourse to that which is written, and that the proceedings may be apert, and ingenuous, and candid, and avowable, for that gives satisfaction and acquiescence. They who have received my anatomy of myself consult, and end their consultation in prescribing, and in prescribing physic; proper and convenient remedy; for if they should come in again and chide me for some disorder that had occasioned and induced, or that had hastened and exalted this sickness, or if they should begin to write now rules for my diet and exercise when I were well, this were to antedate or to postdate their consultation, not to give physic. It were rather a vexation than a relief, to tell a condemned prisoner, You might have lived if you had done this; and if you can get your pardon, you shall do well to take this or this course hereafter. I am glad they know (I have hid nothing from them), glad they consult (they hid nothing from one another), glad they write (they hide nothing from the world), glad that they write and prescribe physic, that there are remedies for the present case.

modo esse sintoma, crescendo em violência, não permitiria nenhum tempo para orientação. Isso também não seria os incidentes das doenças de nossa mente? Não estariam tão evidentemente em nossas afeições, em nossas paixões? Se um homem cheio de cólera está pronto para atacar, devo eu me preparar para diminuir sua ira, ou impedir o golpe? Mas onde houver uma sala para consulta as coisas não são perigosas. Eles consultam, então não há nada que seja desconsiderado ou imprudentemente feito, e, assim, eles prescrevem, eles escrevem, e não há nada que seja feito veladamente, disfarçadamente ou indiscretamente. Nas doenças do corpo, as coisas não são do mesmo modo: algumas vezes, assim que o médico adentra na câmara, seu bisturi já se encontra no braço do paciente; a doença não permitiria um minuto sequer de sangue sofrido, nem a prescrição de outros remédios. Nos assuntos e negócios de governo também é assim: muitas vezes eles são surpreendidos por tais incidentes, como quando o magistrado não pergunta sobre o que pode ser feito pela lei, mas o que de fato deve ser necessariamente feito naquele caso. Assim, há uma graduação de bondade dentro da maldade, uma graduação que carrega esperança e conforto dentro dela, quando nós podemos recorrer ao que foi escrito, e quais os procedimentos que podem ser desvelados, bem como a ingenuidade, a candura e a amabilidade que nos leva à satisfação e à condescendência. Aqueles que receberam minha anatomia de mim mesmo para ser consultada, e que terminam seu atendimento na prescrição e na prescrição de medicamentos – o apropriado e conveniente remédio – deveriam retornar novamente e desaprovar-me por alguma perturbação ocasionada ou induzida ou que tenha sido precipitada ou exaltada por essa enfermidade, ou teria sido melhor eles começarem a escrever regras para minha alimentação e para meus exercícios quando eu estivesse bem, pois estas seriam precedidas às suas consultas, ou mesmo posteriores a estas, antes de serem receitados medicamentos. Seria preferível uma aflição a um alívio a ser contado a um prisioneiro condenado "Vós poderíeis viver se tivésseis feito isso, e se vós pudésseis obter o vosso perdão, vós devíeis agir bem para obterdes isso ou esse caminho de hoje em diante". Fico satisfeito em saber que eles conhecem (eu nada escondi deles, de qualquer forma), satisfeito por consultarem (eles nada escondem um dos outros), satisfeito por escreverem (eles nada escondem do mundo), satisfeito por descreverem e prescreverem medicamentos e por haver remédios para o caso presente.

10

Eles encontram a doença que se infiltra insensivelmente, e se empenham em encontrá-la mesmo assim

Lente et serpenti satagunt occurre re morbo

They find the disease to steal on insensibly, and endeavour to meet with it so

THIS is nature's nest of boxes: the heavens contain the earth; the earth, cities; cities, men. And all these are concentric; the common centre to them all is decay, ruin; only that is eccentric which was never made; only that place, or garment rather, which we can imagine but not demonstrate. That light, which is the very emanation of the light of God, in which the saints shall dwell, with which the saints shall be apparelled, only that bends not to this centre, to ruin; that which was not made of nothing is not threatened with this annihilation. All other things are; even angels, even our souls; they move upon the same poles, they bend to the same centre; and if they were not made immortal by preservation, their nature could not keep them from sinking to this centre, annihilation. In all these (the frame of the heavens, the states upon earth, and men in them, comprehend all), those are the greatest mischiefs which are least discerned; the most insensible in their ways come to be the most sensible in their ends. The heavens have had their dropsy, they drowned the world; and they shall have their fever, and burn the world. Of the dropsy, the flood, the world had a foreknowledge one hundred and twenty years before it came; and so some made provision against it, and were saved; the fever shall break out in an instant and consume all; the dropsy did no harm to the heavens from whence it fell, it did not put out those lights, it did not quench those heats; but the fever, the fire, shall burn the furnace itself, annihilate those heavens that breathe it out. Though the dogstar have a pestilent breath, an infectious exhalation, yet, because we know when it will rise, we clothe ourselves, and we diet ourselves, and we shadow ourselves to a sufficient prevention; but comets and blazing stars, whose effects or significations no man can interrupt or frustrate, no man foresaw: no almanac tells us when a blazing star will break out, the matter is carried up in secret; no astrologer tells us when the effects will be

TUDO na natureza é como a caixa que contém dentro dela outra menor, e a essa, outra menor ainda: o céu contém a terra; a terra, cidades; as cidades, os homens. E tudo isso é concêntrico; o centro comum a todos eles é a decadência, a ruína; somente o que nunca foi criado é excêntrico, somente aquele lugar ou, de outro modo, aquele assessório que podemos imaginar, mas não demonstrar. A luz, que é a verdadeira emanação da luz de Deus, na qual os santos residem, com a qual os santos se revestem, é o único ponto que não está neste centro, o da ruína; pois ela, não tendo consistência, não está fadada a esta aniquilação. Todas as demais coisas estão, mesmo os anjos, mesmo as nossas almas, que se movem da mesma maneira, se dirigem para o mesmo centro, e se elas não fossem criadas para a imortalidade por preservação, sua natureza não as impediria de serem sugadas para este centro, a aniquilação. Em todos estes (a moldura do firmamento, os espaços sobre a terra e os homens neles, tudo compreendido), aqueles são os maiores danos, que são compreendidos em menor grau: o mais insensível em seu caminho pode vir a se tornar o mais sensível ao final de tudo. O firmamento tem seu edema e com ele afoga o mundo; e se aquele vem a ter febre, queima o mundo. Do edema, o dilúvio, o mundo teve uma presciência mil e vinte anos antes do porvir; e assim alguns fizeram provisões contra ele, e foram salvos; a febre vai lhes quebrantar e consumir a todos; o edema não pode atingir o firmamento de onde ele cai, e assim não é capaz de retirar aquelas luzes e não pode apagar aquela paixão; mas a febre, o fogo, acabará por consumir a própria fornalha, aniquilando o firmamento que aspira por sobre ele. Embora a estrela da Constelação do Cão[3] possua um sopro pestilento, uma exalação infecciosa, ainda que possamos prever quando ela surge, nós nos cobrimos, racionamos nossa alimentação, e nos protegemos para uma suficiente prevenção; assim cometas e estrelas flamejantes, cujos efeitos e significados nenhum homem pode interromper ou frustrar, nenhum homem pode prever: nenhum almanaque pode contar-nos quando uma estrela flamejante irromperá, essa questão é carregada de segredo; nem nenhum astrólogo pode nos contar quando os efeitos serão consumados, pois

[3] A estrela da Constelação do Cão, ou Sirius, considerada pelos antigos como uma das estrelas fixas do firmamento, era constantemente associada às secas e às catástrofes relacionadas a elas, principalmente quando esta era avistada surgindo junto ao Sol, em determinadas épocas do ano. (N.T.)

accomplished, for that is a secret of a higher sphere than the other; and that which is most secret is most dangerous. It is so also here in the societies of men, in states and commonwealths. Twenty rebellious drums make not so dangerous a noise as a few whisperers and secret plotters in corners. The cannon doth not so much hurt against a wall, as a mine under the wall; nor a thousand enemies that threaten, so much as a few that take an oath to say nothing. God knew many heavy sins of the people, in the wilderness and after, but still he charges them with that one, with murmuring, murmuring in their hearts, secret disobediences, secret repugnances against his declared will; and these are the most deadly, the most pernicious. And it is so too with the diseases of the body – and that is my case. The pulse, the urine, the sweat, all have sworn to say nothing, to give no indication of any dangerous sickness. My forces are not enfeebled, I find no decay in my strength; my provisions are not cut off, I find no abhorring in mine appetite; my counsels are not corrupted nor infatuated, I find no false apprehensions to work upon mine understanding; and yet they see that invisibly, and I feel that insensibly – the disease prevails. The disease hath established a kingdom, an empire in me, and will have certain *arcana imperii*, secrets of state, by which it will proceed and not be bound to declare them. But yet against those secret conspiracies in the state, the magistrate hath the rack; and against these insensible diseases physicians have their examiners; and those these employ now.

estes são um segredo de uma esfera superior à primeira, e quanto maior o segredo, mais perigoso ele é[4]. Assim também é o que ocorre nas sociedades dos homens, nos estados e nas nações. Vinte canhões rebeldes não oferecem ruídos tão perigosos quanto alguns sussurros e conspiradores secretos pelas esquinas. O canhão não faz tanto estrago contra uma parede quanto uma mina sob ela; nem milhões de inimigos que conspiram fazem tanto quanto alguns poucos que tomam um juramento de nada revelar. Deus conhece todos os terríveis pecados dos povos, na imensidão do deserto e após este, mas ainda assim Ele permitiu que um agisse murmurando, murmurando em seus corações, desobediências secretas e contrariedades secretas contra Sua vontade declarada, e estas são as mais mortais e as mais perniciosas. Assim também ocorre com as enfermidades do corpo – o que é o meu caso. A pulsação, a urina, o suor, todos juram nada dizer, ou fornecer qualquer indicação de qualquer doença perigosa. Minhas forças não se enfraquecem, não encontro nenhuma decadência em minha resistência; minhas provisões não são diminuídas, nem encontro nenhuma anormalidade em meu apetite; minha consciência não é corrompida nem enevoada, pois não descubro nenhuma falsa apreensão que afeta meu entendimento, e mesmo assim eles vêem o que é invisível e eu sinto o que é insensível – que a doença prevalece. A doença possui um reino estabelecido, um império dentro de mim, e possui certamente os seus *arcana imperii*, seus segredos de Estado, pelos quais ela age, não sendo obrigada a declará-los. Do mesmo modo que contra as conspirações de Estado o magistrado se vale da tortura, contra essas enfermidades insensíveis os médicos possuem seus examinadores e estes que agora estão sendo empregados.

[4] À época de John Donne não havia sido ainda determinada matematicamente a teoria das órbitas elípticas por Johannes Kepler (1571-1630), nem o retorno dos cometas previsto por Edmond Halley (1656-1742) em 1705, através das recentes leis da física desenvolvidas por Newton. O conhecimento e previsão da "aparição" de cometas, meteoros e outros eventos astronômicos era restrito aos astrólogos e constavam dos almanaques impressos à época. (N.T.)

11

Eles usam fortificantes para manter o veneno e a malignidade da doença longe do coração

Nobilibusque trahunt, a cincto corde, venenum, succis et gemmis, et quae generosa, ministrant ars, et natura, instillant

They use cordials, to keep the venom and malignity of the disease from the heart

WHENCE can we take a better argument, a clearer demonstration, that all the greatness of this world is built upon opinion of others and hath in itself no real being, nor power of subsistence, than from the heart of man? It is always in action and motion, still busy, still pretending to do all, to furnish all the powers and faculties with all that they have; but if an enemy dare rise up against it, it is the soonest endangered, the soonest defeated of any part. The brain will hold out longer than it, and the liver longer than that; they will endure a siege; but an unnatural heat, a rebellious heat, will blow up the heart, like a mine, in a minute. But howsoever, since the heart hath the birthright and primogeniture, and that it is nature's eldest son in us, the part which is first born to life in man, and that the other parts, as younger brethren, and servants in his family, have a dependence upon it, it is reason that the principal care be had of it, though it be not the strongest part, as the eldest is oftentimes not the strongest of the family. And since the brain, and liver, and heart hold not a triumvirate in man, a sovereignty equally shed upon them all, for his well-being, as the four elements do for his very being, but the heart alone is in the principality and in the throne, as king, the rest as subjects, though in eminent place and office, must contribute to that, as children to their parents, as all persons to all kinds of superiors, though oftentimes those parents or those superiors be not of stronger parts than themselves, that serve and obey them that are weaker. Neither doth this obligation fall upon us, by second dictates of nature, by consequences and conclusions arising out of nature, or derived from nature by discourse (as many things bind us even by the law of nature, and yet not by the primary law of nature; as all laws of propriety in that which we possess are of the law of nature, which law is, to give every one his own, and yet in the primary law of nature there was no propriety, no meum et tuum, but an universal community over all; so the obedience of superiors is of the law of nature, and yet in the primary law of nature there was no superiority, no magistracy); but this contribution of assistance of all to the sovereign, of all parts to the heart, is from the very first dictates of nature, which is, in the first place, to have care of our own preservation, to look first to ourselves; for therefore doth the physician intermit the present care of brain or liver, because there is a

DE ONDE nós podemos obter um melhor argumento, uma demonstração mais clara, se toda a grandeza deste mundo é construída sobre a opinião dos outros e não tem em si nenhuma razão de ser, nem poder de subsistência, além daquela que reside no coração dos homens? É sempre na ação e no movimento, ainda que interrompido, ainda que fingindo diante de tudo, a fornecer todos os poderes e faculdades que todos eles devem ter; mas se um inimigo ousar levantar-se contra ele, quanto mais rápido se enfrentar o perigo, mas rápido consegue-se derrotar qualquer contingente. O cérebro resistirá além disso, e o fígado além do primeiro, pois eles suportam um cerco, mas um calor não-natural, um calor de rebelião, descontrolará o coração, como o meu, rapidamente. Mas, de qualquer maneira, uma vez que o coração possui o direito de nascimento e primogenitura, e sendo ele o filho mais velho da natureza em nós, a parte que primeiro nasce para a vida no homem, e as outras partes, do mesmo modo que os irmãos mais jovens e os serviçais de sua família, possuem uma certa dependência sobre ele, é por isso que o principal cuidado deve ser com ele, embora não seja a parcela mais forte, como freqüentemente os mais velhos não são os mais fortes da família. E, sendo assim, o cérebro, o fígado e o coração não constituem um triunvirato no homem, uma igualdade de soberania derramada sobre eles todos para o bem-estar, como os quatro elementos assim o fazem sobre o ser, pois o coração sozinho constitui um principado e está no trono, como um rei, e os demais como súditos, e, mesmo estando em uma posição e em um ofício de destaque, deve contribuir para que, como crianças a seus pais, como todas as pessoas a todo tipo de superioridade, embora muitas vezes os pais ou os superiores não sejam as partes mais fortes deles mesmos, para servir e obedecer àqueles que são mais fracos. Nada faz com que essa obrigação caia sobre nós, segundo ditames da natureza, por conseqüências ou conclusões surgidas da natureza, ou derivadas da natureza por discurso (assim como existem coisas que nos cegam mesmo pela lei da natureza, e ainda que não sejam pela lei primordial da natureza, há leis de propriedade que possuímos, determinadas pelas leis da natureza, que é a lei de dar a cada um o que lhe é de direito, mesmo que na lei primordial da natureza não exista nenhuma propriedade, *no meum et tuum*, mas sim uma comunidade universal sobre todos; assim a obediência aos superiores é uma das leis da natureza, ainda que na lei primordial da natureza não exista superioridades, nem magistraturas); assim essa contribuição de todos em assistir seu soberano, de todas as partes ao coração, é um dos primeiros e principais ditames da natureza, dos quais, em primeiro lugar, deve-

possibility that they may subsist, though there be not a present and a particular care had of them, but there is no possibility that they can subsist, if the heart perish: and so, when we seem to begin with others, in such assistances, indeed, we do begin with ourselves, and we ourselves are principally in our contemplation; and so all these officious and mutual assistances are but compliments towards others, and our true end is ourselves. And this is the reward of the pains of kings; sometimes they need the power of law to be obeyed; and when they seem to be obeyed voluntarily, they who do it do it for their own sakes. O how little a thing is all the greatness of man and through how false glasses doth he make shift to multiply it, and magnify it to himself! And yet this is also another misery of this king of man, the heart, which is also applicable to the kings of this world, great men, that the venom and poison of every pestilential disease directs itself to the heart, affects that (pernicious affection), and the malignity of ill men is also directed upon the greatest and the best; and not only greatness but goodness loses the vigour of being an antidote or cordial against it. And as the noblest and most generous cordials that nature or art afford, or can prepare, if they be often taken and made familiar, become no cordials, nor have any extraordinary operation, so the greatest cordial of the heart, patience, if it be much exercised, exalts the venom and the malignity of the enemy, and the more we suffer the more we are insulted upon. When God had made this earth of nothing, it was but a little help that he had, to make other things of this earth: nothing can be nearer nothing than this earth; and yet how little of this earth is the greatest man! He thinks he treads upon the earth, that all is under his feet, and the brain that thinks so is but earth; his highest region, the flesh that covers that, is but earth, and even the top of that, that wherein so many Absaloms take so much pride, is but a bush growing upon that turf of earth. How little of the world is the earth! And yet that is all that man hath or is. How little of a man is the heart, and yet it is all by which he is; and this continually subject not only to foreign poisons conveyed by others, but to intestine poisons bred in ourselves by pestilential sicknesses. O who, if before he had a being he could have sense of this misery, would buy a being here upon these conditions?

se cuidar para nossa própria preservação, ao se procurar primeiro em nós mesmos; e deste modo faz o médico ao interromper o atual tratamento para o cérebro ou para o fígado, pois há uma possibilidade de que eles possam subsistir, mesmo não havendo um cuidado particular e atual para o tratamento deles, pois não há possibilidade deles subsistirem se o coração perecer: e assim, quando parece que começamos com os demais, diante de tais assistências, de fato e realmente começamos com nós mesmos, e principalmente nós mesmos estamos em nossa contemplação; e todas essas obsequiosas e mútuas assistências são nada além de lisonjas dirigidas a outros, pois nosso fim verdadeiro somos nós mesmos. E esta é a recompensa das dores dos reis: muitas vezes eles precisam do poder da lei para serem obedecidos e quando parecem ser obedecidos voluntariamente, sabem o que sabem para seus próprios bens. Ó, quão pequeno algo pode ser diante de toda a grandeza do homem e que, através de falsas lentes, faz com que ele busque a melhor maneira de multiplicá-lo e ampliá-lo por si! E ainda que este seja um outro pesar deste rei dos homens, o coração, que é também aplicável aos reis deste mundo, grandes homens, uma vez que o veneno e a peçonha de cada doença pestilenta se dirige ao coração, afetando-o (a afeição perniciosa), a malignidade dos homens doentes é também direcionada aos maiores e aos melhores; e não somente a grandeza, mas também a bondade perde o vigor de ser um antídoto ou estimulante contra ele. E assim o mais nobre e generoso dos estimulantes, estes preparados pela natureza ou proporcionado pela arte dos homens, se freqüentemente tomados ou tornados familiares, deixam de sê-los, nem têm uma operação tão extraordinária quanto o maior dos estimulantes do coração, a paciência, pois, se muito exercitada, exalta o veneno e a malignidade do inimigo, e quanto mais nós sofremos, mais nos ofendemos. Quando Deus criou esta terra a partir do nada, nada havia para ajudá-Lo nisso, para criar as outras coisas desta terra: nada pode estar tão próximo do nada absoluto do que esta terra, e ainda assim o menor do que há nesta terra é o maior dos homens! Ele acredita que controla esta terra, que tudo está sob seus pés e que o cérebro que pensa tanto está além dos limites da terra; suas mais altas regiões, a carne que o reveste, estão além dos limites da terra, e mesmo o topo delas, no lugar onde tantos, como Absalão[5], perderam o orgulho que ostentavam, está além de um mero arbusto, crescendo nos campos relvados da terra. Quão pouco da terra é o mundo! E ainda assim isso é tudo o que o homem possui ou é. Quão pouco de um homem é o coração e, ainda assim, isso é tudo pelo qual ele é; e essa continuidade sujeita não somente os venenos estrangeiros à condução dos outros, mas aos venenos intestinos que são alimentados em nós mesmos pela enfermidade pestilenta. Ó, quem que, diante do ser que poderia ter o sentido desse pesar, compraria uma existência aqui sob essas condições?

[5] Absalão: filho rebelde do rei Davi que tentou usurpar o trono de seu pai. Após uma tentativa de golpe, em que chegou a tomar Jerusalém e expulsar David para a outra margem do Jordão, Absalão enfrenta as tropas de Davi, sofrendo grandes perdas. Quando Absalão fugia, seus cabelos ficaram enroscados nos galhos de uma árvore, ficando suspenso no ar, e embora Davi tenha dado a ordem para que não o matassem, seu corpo foi transpassado por três dardos e lançado em cosa rasa (II Sam. 18:7-17) em cerca de 967 a.C. (N.T.)

12

Eles aplicam emplastros para sacar os maus vapores de sua cabeça.

Spirante columba supposita pedibus, revocantur ad ima vapores

They apply pigeons, to draw the vapours from the head

WHAT will not kill a man if a vapour will? How great an elephant, how small a mouse destroys! To die by a bullet is the soldier's daily bread; but few men die by hail-shot. A man is more worth than to be sold for single money; a life to be valued above a trifle. If this were a violent shaking of the air by thunder or by cannon, in that case the air is condensed above the thickness of water, of water baked into ice, almost petrified, almost made stone, and no wonder that kills; but that which is but a vapour, and a vapour not forced but breathed, should kill, that our nurse should overlay us, and air that nourishes us should destroy us, but that it is a half atheism to murmur against Nature, who is God's immediate commissioner, who would not think himself miserable to be put into the hands of Nature, who does not only set him up for a mark for others to shoot at, but delights herself to blow him up like a glass, till she see him break, even with her own breath? Nay, if this infectious vapour were sought for, or travelled to, as Pliny hunted after the vapour of AEtna and dared and challenged Death in the form of a vapour to do his worst, and felt the worst, he died; or if this vapour were met withal in an ambush, and we surprised with it, out of a long shut well, or out of a new opened mine, who would lament, who would accuse, when we had nothing to accuse, none to lament against but fortune, who is less than a vapour? But when ourselves are the well that breathes out this exhalation, the oven that spits out this fiery smoke, the mine that spews out this suffocating and strangling damp, who can ever, after this, aggravate his sorrow by this circumstance, that it was his neighbour, his familiar friend, his brother, that destroyed him, and destroyed him with a whispering and a calumniating breath, when we ourselves do it to ourselves by the same means, kill ourselves with our own vapours? Or if these occasions of this self-destruction had any contribution from our own wills, any assistance from our own intentions, nay, from our own errors, we might divide the rebuke, and chide ourselves as much as them. Fevers upon wilful distempers of drink and surfeits, consumptions upon intemperances and licentiousness, madness upon

O QUE não matará o homem, se um simples vapor o mata? Quanto maior o elefante, menor o camundongo que o destrói! Morrer atingido por uma bala é o alimento diário do soldado, mas poucos homens morrem por um tiro de advertência. Um homem vale muito para ser vendido por uma simples quantia de dinheiro; uma vida vale mais do que uma simples ninharia. Se houver um violento sacudir do ar por trovão ou canhão, nesses casos o ar é condensado logo acima pela densidade da água, da água transformada em gelo, quase petrificada, quase transformada em pedra, e não é de se estranhar que venha matar; mas quando ela nada é além de vapor, e um vapor não forçado senão respirado, deveria matar, que nossa enfermeira deveria nos cobrir, e o ar que nos nutre vem a nos destruir, mas tudo isso é um meio ateísmo que vem resmungar contra a Natureza, que é a comissária imediata de Deus, que não somente julga-se miserável por ser colocado nas mãos da Natureza, que não somente se coloca como um alvo para os outros alvejarem, mas, sim, deleita-se em ser soprado como o vidro, até que lhe veja ser quebrado, mesmo com seu próprio sopro? Pelo contrário, se esse vapor infeccioso for procurado, ou buscado em viagem, como Plínio que caçou os vapores do Etna[6] e ousou e desafiou a Morte na forma de um vapor na pior forma que existe, e, sentindo o pior, veio a falecer; ou, além disso, se esse vapor se encontrar em uma emboscada e nos surpreender, como o resultado de uma armadilha muito bem fechada, ou como resultado de uma recém aberta mina, quem lamentaria, ou quem acusaria, quando nada teríamos a acusar, nada a lamentar senão a boa sorte, que é menor que o vapor? Além disso, quando nós mesmos somos o espaço que expira essa exalação, a fornalha que expele essa fumaça inflamável, a mina que emite a umidade sufocante e estrangulante, que pode em algum tempo agravar sua pena por essa circunstância, pois era seu vizinho, seu amigo familiar, seu irmão que o destrói, e que destrói com um suspiro e uma respiração caluniadora, quando nós mesmos o fazemos a nós mesmos pelos mesmos meios, matando-nos com os nossos próprios vapores? Ou se essas ocasiões dessas auto-destruições possuem alguma contribuição de nossas próprias vontades, qualquer assistência de nossas próprias intenções, ao contrário, a partir de nossos próprios erros, nós podemos dividir a repreensão e a desaprovação de nós mesmos tanto quanto a deles. As febres que ocorrem sob o voluntarioso destempero de bebida e da gula, a tuberculose, sob a destemperança e a

[6] Na verdade, Plínio, o Velho (Como, 23 d.C. – Stabia, 79 d.C.), autor e naturalista clássico - autor de "Naturalis Historia", vasto compêndio das ciências antigas distribuído em 37 livros em 77 d.C. - pereceu na explosão do Vesúvio, em 79 d.C., quando decidiu verificar o fenômeno mais de perto, e, não do vulcão Etna, como Donne afirma. (N.T.)

misplacing or over bending our natural faculties, proceed from ourselves, and so as that ourselves are in the plot, and we are not only passive, but active too, to our own destruction. But what have I done, either to breed or to breathe these vapours? They tell me it is my melancholy; did I infuse, did I drink in melancholy into myself? It is my thoughtfulness; was I not made to think? It is my study; doth not my calling call for that? I have done nothing wilfully, perversely toward it, yet must suffer in it, die by it. There are too many examples of men that have been their own executioners, and that have made hard shift to be so: some have always had poison about them, in a hollow ring upon their finger, and some in their pen that they used to write with; some have beat out their brains at the wall of their prison, and some have eat the fire out of their chimneys;[169] and one is said to have come nearer our case than so, to have strangled himself, though his hands were bound, by crushing his throat between his knees. But I do nothing upon myself, and yet am mine own executioner. And we have heard of death upon small occasions and by scornful instruments: a pin, a comb, a hair pulled, hath gangrened and killed; but when I have said a vapour, if I were asked again what is a vapour, I could not tell, it is so insensible a thing; so near nothing is that that reduces us to nothing. But extend this vapour, rarefy it; from so narrow a room as our natural bodies, to any politic body, to a state. That which is fume in us is, in a state rumour; and these vapours in us, which we consider here pestilent and infectious fumes, are, in a state, infectious rumours, detracting and dishonourable calumnies, libels. The heart in that body is the king, and the bran his council; and the whole magistracy, that ties all together, is the sinews which proceed from thence; and the life of all is honour, and just respect, and due reverence; and therefore, when these vapours, these venomous rumours, are directed against these noble parts, the whole body suffers. But yet for all their privileges, they are not privileged from our misery; that as the vapours most pernicious to us arise in our own bodies, so do the most dishonourable rumours, and those that wound a state most arise at home. What ill air that I could have met in the street, what channel, what shambles, what dunghill, what vault, could have hurt me so much as these homebred vapours? What fugitive, what almsman of any foreign state, can do so much harm as a detractor, a libeller, a scornful jester at home? For as they that write of poisons, and of creatures naturally disposed to the ruin of man, do as well mention the flea as the viper, because the flea, though he kill none, he does all the harm he can; so even these libellous and licentious jesters utter the venom they have, though sometimes virtue, and always power, be a good pigeon to draw this vapour from the head and from doing any deadly harm there.

licenciosidade, a loucura, sob a perda ou sobre a alteração das nossas faculdades naturais, procedendo a partir de nós mesmos, e assim estarmos nós mesmos dentro desse enredo, pois não somos só passivos, mas ativos também em nossa própria destruição. Mas o que faço eu então, se me alimento ou respiro esses vapores? Eles me dizem que essa é minha melancolia: eu me infundi, bebi de minha própria melancolia? É minha consideração, pois não fui eu feito para pensar? É meu estudo: não faço disso minha profissão mais ambiciosa? Eu nada faço deliberadamente, perversamente nesse sentido, ainda que possa sofrer, ou mesmo vir a falecer. Há muitos exemplos de homens que foram os seus próprios executores, e que muito se esforçaram para atingir isso: alguns sempre adicionam veneno sobre eles, em um vazio do anel sobre seus dedos, e alguns, em duas penas com as quais estão acostumados a escrever; alguns têm batido suas cabeças contra as paredes de suas prisões, e alguns comem o fogo que saem de suas chaminés; e aquele que disse que tem se aproximado tanto de nosso caso, tem se estrangulado, apesar de suas mãos estarem atadas, comprimindo sua garganta entre os seus joelhos. Mas eu nada faço por mim mesmo, ainda que seja o meu próprio executor. E tendo nós ouvido a morte em pequenas ocasiões e por insolentes instrumentos – um alfinete, um pente, cabelos arrancados que produzem a gangrena e matam – é quando me refiro a um vapor, se fosse novamente perguntado sobre o que é um vapor, não podendo dizê-lo por ser algo tão insensível; tão próximo do que é ao nos reduzir a nada. Mas estenda esse vapor, suavizando-o: desde o mais estreito cômodo, que são os nossos corpos naturais, até qualquer corpo político, até uma nação. Aquele que é o vapor que se encontra em nós, em um boato político; e esses vapores em nós, que aqui consideramos como sendo vapores pestilentos e infecciosos, são, em uma nação, os rumores infecciosos, as calúnias desonrosas e detratoras, os libelos. O coração naquele corpo é o rei, e o cérebro, seu conselho, e toda a magistratura, que a todos mantém unidos, são os tendões que procedem desde então; e a vida de todos é a honra e o justo respeito e a devida reverência; e então, quando esses vapores, esses rumores venenosos, são direcionados contra estas nobres partes, todo o corpo sofre. E mesmo ainda tendo todos os seus privilégios, eles não se privilegiam de nosso pesar, pois, assim como os vapores mais perniciosos surgem de dentro de nossos próprios corpos, assim o fazem os mais desonrosos rumores e aqueles que ferem uma nação, quase semelhante ao nosso lar. Qual ar pestilento que poderia eu encontrar na rua, qual canal, qual matadouro, qual monte de estrume, qual catacumba poderia ferir-me mais do que esses vapores mais básicos? Qual fugitivo, qual pedinte de qualquer nação estrangeira, pode de fato causar tanto dano quanto um detrator, um difamador, um tolo insolente em nosso próprio lar? Pois assim como eles escrevem venenos e conhecem criaturas naturalmente dispostas à ruína do homem, assim como bem mencionada a mosca e a víbora, pois a mosca, embora não venha a matar ninguém, causa todo o dano que pode, assim esses tolos difamadores e licenciosos expressam o veneno que possuem, embora a virtude e sempre o poder possam ser um bom pássaro-de-mina para sacar esse vapor da mente e de qualquer ato mortal feito lá.

13

A enfermidade declara a infecção e a malignidade através de machas

Ingeniumque malum, numeroso stigmate, fassus pellitur ad pectus, morbique suburbia, morbus

The sickness declares the infection and malignity thereof by spots

WE say that the world is made of sea and land, as though they were equal; but we know that there is more sea in the Western than in the Eastern hemisphere. We say that the firmament is full of stars, as though it were equally full; but we know that there are more stars under the Northern than under the Southern pole. We say the elements of man are misery and happiness, as though he had an equal proportion of both, and the days of man vicissitudinary, as though he had as many good days as ill, and that he lived under a perpetual equinoctial, night and day equal, good and ill fortune in the same measure. But it is far from that; he drinks misery, and he tastes happiness; he mows misery, and he gleans happiness; he journeys in misery, he does but walk in happiness; and, which is worst, his misery is positive and dogmatical, his happiness is but disputable and problematical: all men call misery, but happiness changes the name by the taste of man. In this accident that befalls me, now that this sickness declares itself by spots to be a malignant and pestilential disease, if there be a comfort in the declaration, that thereby the physicians see more clearly what to do, there may be as much discomfort in this, that the malignity may be so great as that all that they can do shall do nothing; that an enemy declares himself then, when he is able to subsist, and to pursue, and to achieve his ends, is no great comfort. In intestine conspiracies, voluntary confessions do more good than confessions upon the rack; in these infections, when nature herself confesses and cries out by these outward declarations which she is able to put forth of herself, they minister comfort; but when all is by the strength of cordials, it is but a confession upon the rack, by which, though we come to know the malice of that man, yet we do not know whether there be not as much malice in his heart then as before his confession; we are sure of his treason, but not of his repentance; sure of him, but not of his accomplices. It is a faint comfort to know the worst when the worst is remediless, and a weaker than that to know much ill, and not to know that that is the worst. A woman is comforted with the birth of her son, her body is eased of a burden; but if she could prophetically read his history, how ill a man, perchance how ill a son, he would prove, she

COSTUMAMOS dizer que o mundo é feito de mar e de terra, como se eles fossem iguais, mas nós sabemos que há mais mar no hemisfério ocidental do que no oriental. Costumamos dizer que o firmamento é repleto de estrelas, como se ele estivesse igualmente preenchido, mas nós sabemos que há mais estrelas no pólo setentrional que no pólo sul meridional. Costumamos dizer que as bases elementares do homem são o sofrimento e a felicidade, como se nele houvesse ambos em igual proporção, e os dias do homem, cheios de vicissitudes, embora ele tenha tantos dias bons quanto ruins, e que se vivia sob um equinócio perpétuo, noite e dia igualmente, a boa e a má fortuna na mesma medida. Mas isso está longe de ser verdade: ele bebe o sofrimento e prova a felicidade; ele corta miséria e colhe a felicidade; ele percorre por todo o sofrimento e apenas caminha na felicidade; e o que é pior, seu sofrimento é positivo e dogmático, sua felicidade está além do que é disputável e problemático: todos os homens conhecem o sofrimento, mas a felicidade muda de nome pela vontade dos homens. Nesse incidente que se sucede sobre mim, agora que essa enfermidade se auto-declara por manchas, para ser uma enfermidade pestilenta e maligna, se houver um conforto na declaração, que através disso os médicos vejam mais claramente o que fazer, que possa haver tanto desconforto quanto este, que a malignidade possa ser tão grande quanto tudo o que eles possam fazer, mesmo nada sendo, pois um inimigo auto declarado, quando ele é capaz de subsistir, e perseguir e atingir os seus fins, não seja um grande conforto. Na conspiração interna, a confissão voluntária produz mais o bem do que a confissão sob tortura; nessas infecções, quando a própria natureza confessa e grita essas declarações exteriores, que ela é capaz de produzir por si mesma, é quando elas cuidam de ministrar conforto; mas quando tudo está baseado no poder dos fortificantes, ela está além da mera confissão sob tortura, pela qual então chegamos a conhecer a malícia daquele homem, ainda que não saibamos se não houve tanta malícia em seu coração quanto antes de sua confissão; nós estamos certos de sua traição, mas não tão certos de seu arrependimento; certos de sua participação, não de seus cúmplices. É um débil conforto conhecer o pior quando o pior é irremediável e o debilitado que conhece muito bem a doenças, mas não sabe o que é pior. Uma mulher é confortada pelo nascimento de seu filho; seu corpo, liberado da apreensão, mas se ela puder profeticamente ler sua história,

should receive a greater burden into her mind. Scarce any purchase that is not clogged with secret encumbrances; scarce any happiness that hath not in it so much of the nature of false and base money, as that the allay is more than the metal. Nay, is it not so (at least much towards it) even in the exercise of virtues? I must be poor and want before I can exercise the virtue of gratitude; miserable, and in torment, before I can exercise the virtue of patience. How deep do we dig, and for how coarse gold! And what other touchstone have we of our gold but comparison, whether we be as happy as others, or as ourselves at other times? O poor step toward being well, when these spots do only tell us that we are worse than we were sure of before.

como homem enfermo, possivelmente tão doente quanto um filho provasse ser, ela deveria receber um alívio maior ainda em sua mente. Rara é alguma aquisição que não seja obstruída por obstáculos secretos; rara é alguma felicidade que não produza tanto quanto a natureza do falso e do dinheiro essencial, pois o que acalma é mais do que o metal. Ao contrário, não é assim (pelo menos em direção a isso) mesmo no exercício da virtude? Devo ser pobre e necessitado diante do que posso exercitar como virtude de reconhecimento; miserável e atormentado diante do que posso exercitar como virtude de paciência. Quão profundo devemos cavar para buscar o rude ouro! E qual outra pedra de toque nós possuímos do nosso ouro que não seja a comparação, se somos tão felizes quanto outros, ou quanto a nós mesmos em outras épocas? Ó, pobre cadência voltada para o bem-estar, quando estas manchas apenas fazem em nos lembrar que nós somos piores do que claramente fomos antes.

14

Os médicos observam esses incidentes que têm atacado nesses dias críticos

Idque notant criticis medici evenisse diebus

The physicians observe these accidents to have fallen upon the critical days

I WOULD not make man worse than he is, nor his condition more miserable than it is. But could I though I would? As a man cannot flatter God, nor over praise him, so a man cannot injure man, nor undervalue him. Thus much must necessarily be presented to his remembrance, that those false happinesses which he hath in this world, have their times, and their seasons, and their critical days; and they are judged and denominated according to the times when they befall us. What poor elements are our happinesses made of, if time, time which we can scarce consider to be any thing, be an essential part of our happiness! All things are done in some place; but if we consider place to be no more but the next hollow superficies of the air, alas! How thin and fluid a thing is air, and how thin a film is a superficies, and a superficies of air! All things are done in time too, but if we consider time to be but the measure of motion, and howsoever it may seem to have three stations, past, present, and future, yet the first and last of these are not (one is not now, and the other is not yet), and that which you call present, is not now the same that it was when you began to call it so in this line (before you sound that word present, or that monosyllable now, the present and the now is past). If this imaginary, half-nothing time, be of the essence of our happinesses, how can they be thought durable? Time is not so; how can they be thought to be? Time is not so; not so considered in any of the parts thereof. If we consider eternity, into that time never entered; eternity is not an everlasting flux of time, but time is a short parenthesis in a long period; and eternity had been the same as it is, though time had never been. If we consider, not eternity, but perpetuity; not that which had no time to begin in, but which shall outlive time, and be when time shall be no more, what a minute is the life of the durablest creature compared to that! And what a minute is man's life in respect of the sun's, or of a tree? And yet how little of our life is occasion, opportunity to receive good in; and how little of that occasion do we apprehend and lay hold of? How busy and perplexed a cobweb is the happiness of man here, that must be made up with a watchfulness to lay hold upon occasion, which is but a little piece of that which is nothing,

EU NÃO CRIARIA o homem de modo pior do que ele é, nem sua condição mais miserável do que é. Mas eu poderia de qualquer forma imaginá-lo? Assim como um homem não pode bajular Deus, nem louvá-Lo, assim um homem não pode injuriar o homem, nem subestimá-lo. Assim, necessariamente muito deve ser apresentado à sua lembrança, pois aquela falsa felicidade que ele tem neste mundo, tem seu tempo e sua época e seus dias críticos; e que eles julgam-se e denominam-se de acordo com o tempo quando eles nos sucedem. De que pobres elementos a nossa felicidade é feita se, de tempos em tempos, raramente podemos considerar ser qualquer coisa, ser uma parte essencial de nossa felicidade? Todas as coisas são feitas em algum lugar, mas se considerarmos o lugar como sendo nada além do que as breves superfícies vazias de ar, ai de mim! Quão escasso e fluido é o ar, e quão escassa é uma membrana em sua superfície, e assim, uma superfície de ar! Todas as coisas são feitas dentro do tempo também, mas se considerarmos o tempo como sendo nada mais do que a medida do movimento, e de qualquer maneira não tendo nada além de três estágios, passado, presente e futuro, ainda que o primeiro e o último desses não sejam (um não é agora, e outro ainda não o é), e que o que chamamos de presente não é o mesmo de quando começamos a chamar assim no início desta frase (apesar do que significa a palavra 'presente' ou as sílabas de 'agora', o 'presente' e o 'agora' são passado). Se esse imaginário e meio-nada tempo é a essência de nossa felicidade, como podem ser entendidos como duráveis? O tempo não o é, não se considerado como qualquer das partes disto. Se nós considerarmos a eternidade, dentro daquele tempo que nunca penetrar, a eternidade não é um fluxo interminável do tempo, mas o tempo é um curto parêntese em um longo período; e a eternidade sempre tem sido o que ela é, apesar do tempo não o ser. Se considerarmos, não a eternidade, mas a perpetuidade, não aquilo que não tinha tempo para iniciar, mas aquilo que prolonga os dias do tempo, o ser quando o tempo não será mais, o que é um minuto de vida da mais eterna das criaturas comparado a isto! E o que é um minuto na vida do homem se comparado aos do sol ou de uma árvore? Ou ainda quão pouco de nossa vida é ocasião, oportunidade de receber o bem; e quão pouco dessa ocasião nós apreendemos e mantemos junto a nós? Qual perplexa e intrincada teia de aranha é a felicidade do homem aqui, que deve entrar

time? And yet the best things are nothing without that. Honours, pleasures, possessions, presented to us out of time? In our decrepit and distasted and inapprehensive age, lose their office, and lose their name; they are not honours to us that shall never appear, nor come abroad into the eyes of the people, to receive honour from them who give it; nor pleasures to us, who have lost our sense to taste them; nor possessions to us, who are departing from the possession of them. Youth is their critical day, that judges them, that denominates them, that inanimates and informs them, and makes them honours, and pleasures, and possessions; and when they come in an inapprehensive age, they come as a cordial when the bell rings out, as a pardon when the head is off. We rejoice in the comfort of fire, but does any man cleave to it at midsummer? We are glad of the freshness and coolness of a vault, but does any man keep his Christmas there; or are the pleasures of the spring acceptable in autumn? If happiness be in the season, or in the climate, how much happier then are birds than men, who can change the climate and accompany and enjoy the same season ever.

em acordo com a cautela de se manter sob a ocasião, que nada é além de um pequeno pedaço daquilo que é nada, o tempo? E ainda assim as melhores coisas não são nada sem aquilo. A honra, os prazeres, as possessões são apresentadas a nós fora do tempo? Em nosso decrépito, repugnante e impávido envelhecimento, perdem-se os seus ofícios, e perdem-se os seus nomes; eles não nos honram, pois nunca deveriam aparecer, nem serem trazidos aos olhos do povo, para receber as honras daqueles que as distribuem; nem nos dão prazer aqueles que têm perdido nosso senso de experimentá-los; nem de nos possuir, aqueles que estão de partida das possessões deles. A juventude é os seus dias críticos, que os julgam, que os denomina, que os deixa sem vida e que os informa, e os cobre de honras, prazer e possessões; e quando eles chegam à impávida idade, tornam-se cordiais quando o sino soa, assim como a absolvição, quando a cabeça é cortada. Regozijamo-nos no conforto da lareira, mas qual o homem que se apega a ela em pleno verão? Satisfazemo-nos da frescura e do frescor de uma abóbada, mas qual homem passaria o Natal ali; ou são os prazeres da primavera aceitáveis no outono? Se a felicidade está na estação do ano, ou no clima, quão mais felizes são os pássaros aos homens, que podem mudar de clima e de companhia e apreciar a mesma estação sempre.

15

Não durmo nem de dia, nem de noite

Interea insomnes noctes ego duco, diesque

I sleep not day nor night

NATURAL men have conceived a twofold use of sleep; that it is a refreshing of the body in this life; that it is a preparing of the soul for the next; that it is a feast, and it is the grace at that feast; that it is our recreation and cheers us, and it is our catechism and instructs us; we lie down in a hope that we shall rise the stronger, and we lie down in a knowledge that we may rise no more. Sleep is an opiate which gives us rest, but such an opiate, as perchance, being under it, we shall wake no more. But though natural men, who have induced secondary and figurative considerations, have found out this second, this emblematical use of sleep, that it should be a representation of death, God, who wrought and perfected his work before nature began (for nature was but his apprentice, to learn in the first seven days, and now is his foreman, and works next under him), God, I say, intended sleep only for the refreshing of man by bodily rest, and not for a figure of death, for he intended not death itself then. But man having induced death upon himself, God hath taken man's creature, death, into his hand, and mended it; and whereas it hath in itself a fearful form and aspect, so that man is afraid of his own creature, God presents it to him in a familiar, in an assiduous, in an agreeable and acceptable form, in sleep; that so when he awakes from sleep, and says to himself, "Shall I be no otherwise when I am dead, than I was even now when I was asleep?" he may be ashamed of his waking dreams, and of his melancholy fancying out a horrid and an affrightful figure of that death which is so like sleep. As then we need sleep to live out our threescore and ten years, so we need death to live that life which we cannot outlive. And as death being our enemy, God allows us to defend ourselves against it (for we victual ourselves against death twice every day), as often as we eat, so God having so sweetened death unto us as he hath in sleep, we put ourselves into our enemy's hands once every day, so far as sleep is death; and sleep is as much death as meat is life. This then is the misery of my sickness, that death, as it is produced from me and is mine own creature, is now before mine eyes, but in that form in which God hath mollified it to us, and made it acceptable, in sleep I cannot see it. How many prisoners,

OS HOMENS selvagens concebem uma dupla utilidade para o sono; que é o revigoramento do corpo nesta vida; que é o preparo da alma para o porvir; que é um banquete e a honra de estar neste banquete; que é nossa recreação e que nos regozija, e é o nosso catecismo e que nos instrui; nós nos deitamos na esperança de nos levantarmos mais fortes, e nos deitamos sabendo que podemos nunca mais nos levantar. Dormir é um sonífero que nos dá descanso, mas tal como um sonífero, assim que estamos sob o seu uso, nós podemos não despertar mais. Mas apesar do homem selvagem, que induz a considerações secundárias e figurativas, tendo descoberto esse segundo, esse emblemático uso do sono, que deveria ser uma representação da morte, Deus, que forjou e aperfeiçoou Sua obra através da natureza, começou (pois a natureza era nada além que Sua aprendiz, informando-se nos primeiros sete dias, e agora é Sua contramestre e trabalha próxima e sobre Suas ordens), Deus, eu disse, pretendeu o sono apenas como o revigoramento do homem através do descanso do corpo, e não como uma figuração da morte, como Ele pretendeu que a morte em si fosse. Mas tendo o homem induzido a morte sobre si mesmo, Deus tomou a criatura do homem, a morte, em Suas mãos, e a reparou; e enquanto ela tem em si uma forma e um aspecto atemorizantes, para que o homem tenha medo de sua própria criação, Deus a apresenta ao homem em uma forma familiar, em uma forma diligente, em uma forma aceitável e agradável, através do sono; pois quando ele desperta do sono, ele diz para si mesmo, "Estarei eu de outra forma quando estiver morto, do mesmo modo de quanto estava por agora adormecido?", podendo se envergonhar de seus sonhos à luz do dia, e de sua melancolia que imagina uma horrenda e terrível figura da morte que se assemelha ao sono. Do mesmo modo que nós precisamos dormir para sobreviver aos nossos sessenta e tantos anos, nós precisamos da morte para viver aquela vida a qual não podemos sobreviver. E sendo a morte nossa inimiga, Deus nos permite nos defender de nós mesmos contra ela (pois nos abastecemos contra a morte duas vezes ao dia), tão freqüentemente quanto nos alimentamos; assim Deus, tendo suavizado a morte para nós como Ele a fez pelo sono, nós nos colocamos nas mãos de nosso inimigo pelo menos uma vez ao dia, estando a morte tão próxima do sono, pois o sono está para a morte tanto quanto o alimento está para a vida. Esse é então o sofrimento de minha

who have even hollowed themselves their graves upon that earth on which they have lain long under heavy fetters, yet at this hour are asleep, though they are yet working upon their own graves by their own weight? He that hath seen his friend die today, or knows he shall see it to-morrow, yet will sink into a sleep between. I cannot, and oh, if I am entering now into eternity, where there shall be no more distinction of hours, why is it all my business now to tell clocks? Why is none of the heaviness of my heart dispensed into mine eye-lids, that they might fall as my heart doth? And why, since I have lost my delight in all objects, cannot I discontinue the faculty of seeing them by closing mine eyes in sleep? But why rather, being entering into that presence where I shall wake continually and never sleep more, do I not interpret my continual waking here, to be a parasceve and a preparation to that?

enfermidade, pois a morte, sendo produzida por mim e sendo minha própria criação, está agora diante de meus olhos, mas não na forma pela qual Deus a modificou para nós e a tornou mais aceitável, pois no sono eu não posso vê-la. Quantos prisioneiros, que têm escavado suas próprias sepulturas naquela terra onde descansam suas pesadas correntes, nesta hora estão adormecidos, embora eles já venham trabalhando em seus túmulos pelo peso do que cometeram? Aquele que viu seu amigo morrer no dia de hoje, ou sabe que verá isso acontecer no dia de amanhã, ainda assim lança-se ao sono. Eu não o posso, e, ó, se eu agora ingressar na eternidade, onde não há mais distinções de horas, por que meus afazeres agora são o contar das horas? Por que nada do que pesa em meu coração é distribuído diante de meus olhos do mesmo modo que meu coração faz? E por que, uma vez que perdi o prazer diante de todas as coisas, não posso também perder a faculdade de vê-los ao fechar meus olhos quando dormir? Mas por que, preferencialmente, uma vez que estou a caminho de ingressar naquela presença na qual permanecerei continuamente acordado e nunca dormirei novamente, eu não interpreto o meu contínuo despertar aqui como sendo uma parasceve[7] e uma preparação para aquele porvir?

[7] Parasceve: palavra de origem grega, referente ao nome que os judeus davam à "preparação", na sexta-feira, dos alimentos e demais utensílios necessários ao cerimonial do Sabat, por ser este um dia em que é proibido realizar trabalhos de quaisquer naturezas (cf. Mt 27,62; Jo 19,31.42). (N.T.)

16

Dos sinos da igreja adjacente, diariamente me recordo de meu enterro através do funeral dos outros

Et properare meum clamant, e turre propinqua, obstreperae campanae aliorum in funere, funus

From the bells of the church adjoining, I am daily remembered of my burial in the funerals of others

WE have a convenient author, who writ a discourse of bells when he was prisoner in Turkey. How would he have enlarged himself if he had been my fellow-prisoner in this sick bed, so near to that steeple which never ceases, no more than the harmony of the spheres, but is more heard. When the Turks took Constantinople, they melted the bells into ordnance; I have heard both bells and ordnance, but never been so much affected with those as with these bells. I have lain near a steeple in which there are said to be more than thirty bells, and near another, where there is one so big, as that the clapper is said to weigh more than six hundred pounds, yet never so affected as here. Here the bells can scarce solemnize the funeral of any person, but that I knew him, or knew that he was my neighbour: we dwelt in houses near to one another before, but now he is gone into that house into which I must follow him. There is a way of correcting the children of great persons, that other children are corrected in their behalf, and in their names, and this works upon them who indeed had more deserved it. And when these bells tell me, that now one, and now another is buried, must not I acknowledge that they have the correction due to me, and paid the debt that I owe? There is a story of a bell in a monastery which, when any of the house was sick to death, rung always voluntarily, and they knew the inevitableness of the danger by that. It rung once when no man was sick, but the next day one of the house fell from the steeple and died, and the bell held the reputation of a prophet still. If these bells that warn to a funeral now, were appropriated to none, may not I, by the hour of the funeral, supply? How many men that stand at an execution, if they would ask for what dies that man? Should hear their own faults condemned, and see themselves executed by attorney? We scarce hear of any man preferred, but we think of ourselves that we might very well have been that man; why might not I have been that man that is carried to his grave now? Could I fit myself to stand or sit in any man's place, and not to lie in any man's grave? I may lack much of the good parts of the meanest, but I lack nothing of the mortality of the weakest; they may have

NÓS possuímos um conveniente autor que escreveu um discurso de sinos quando prisioneiro na Turquia. Como se aperfeiçoou, se ele se encontrava como meu colega de prisão deste leito de doente, tão próximo que estava daquele campanário que nunca pára de tocar nada além do que a música das esferas, mesmo que nunca ouvida? Quando os turcos tomaram Constantinopla, derreteram os sinos para servirem de munição; eu ouvi a ambos, os sinos e o disparo da munição, mas posso dizer que nada me tocou tanto quanto o som daqueles sinos. Tenho estado repousando próximo de um campanário no qual dizem que há mais de trinta sinos, e próximo de outro, onde há um sino tão grande cujo badalo pesa mais de seiscentas libras[8], ainda que não me toque tanto quanto o daqui. Aqui raramente os sinos podem celebrar o funeral de qualquer pessoa, mas sim que eu o conhecia, ou sabia que esse alguém era meu vizinho: nós morávamos em casas próximas uma da outra, mas agora ele foi para aquela morada na qual também deverei segui-lo. Há um modo de punição para os filhos de pessoas importantes, em que outras crianças são punidas em seus lugares e em seus nomes, e isso de fato reforça neles o que eles mais mereciam. E, quando esses sinos me contam que agora um e outro está sepultado, devo eu agradecer o que eles têm como a devida punição para mim, e pagar os débitos que devo? Há a história de um sino em um monastério que, sempre que alguém da casa está mortalmente doente, toca voluntariamente, e todos conhecem a inevitabilidade do perigo disso. Ele tocou uma vez quando ninguém estava doente, mas no dia seguinte um dos que na casa habita caiu do campanário e morreu, e assim o sino manteve a reputação de profeta. Se esses sinos, que informam antecipadamente um funeral como agora, são destinados a ninguém, não posso eu, pela hora do funeral, também o ser? Quantos homens que comparecem a uma execução não perguntam pelo que morre aquele homem? Deveriam ouvir seus próprios erros condenados e verem a si mesmos serem executados por procuração? Raramente ouvimos a preferência de um homem, mas pensamos com nós mesmos que poderíamos muito bem sermos aquele homem; por que eu não posso ter sido esse homem que agora está sendo levado para a sepultura? Eu poderia me colocar sentado ou no lugar de qualquer homem, mas não jazer na sepultura de qualquer um? Eu posso

[8] Seiscentas libras, ou o equivalente a 272,40 quilos. (N.T.)

acquired better abilities than I, but I was born to as many infirmities as they. To be an incumbent by lying down in a grave, to be a doctor by teaching mortification by example, by dying, though I may have seniors, others may be older than I, yet I have proceeded apace in a good university, and gone a great way in a little time, by the furtherance of a vehement fever, and whomsoever these bells bring to the ground to-day, if he and I had been compared yesterday, perchance I should have been thought likelier to come to this preferment then than he. God hath kept the power of death in his own hands, lest any man should bribe death. If man knew the gain of death, the ease of death, he would solicit, he would provoke death to assist him by any hand which he might use. But as when men see many of their own professions preferred, it ministers a hope that that may light upon them; so when these hourly bells tell me of so many funerals of men like me, it presents, if not a desire that it may, yet a comfort whensoever mine shall come.

sentir falta de muitas das boas partes da mesquinhez, mas não sinto falta da mortalidade da fraqueza; eles podem ter adquirido melhores habilidades que eu, mas eu nasci para tantas enfermidades quanto eles. Para ser uma pessoa incumbida de baixar-se à sepultura, para ser um doutor pelo ensinamento da mortificação pelo exemplo, pela morte, apesar de ter pessoas mais experientes, outros podem ser mais velhos que eu, ainda que eu tenha avançado rapidamente em uma boa universidade, e tenha avançado de um bom modo rapidamente, pelo auxílio de uma febre veemente, e quem quer que seja que esses sinos tragam para a terra hoje, se ele e eu fôssemos comparados ontem, possivelmente eu deveria ter sido considerado tão provável para essa promoção quanto ele. Deus tem mantido o poder da morte em Suas mãos, para que nenhum homem venha subornar a morte. Se o homem conhecesse o valor da morte, a tranqüilidade da morte, ele aliciaria, ele provocaria a morte para assisti-lo por qualquer meio que pudesse usar. Assim como quando os homens vêem muitas de suas próprias profissões preferidas, ela ministra uma esperança que possa iluminá-los; assim, quando esses sinos de hora em hora contam-me quantos funerais de homens como eu são realizados, se não um desejo que possa acontecer, ainda que um conforto que a qualquer momento virá para mim.

17

Agora este sino, tocando tão suavemente para os outros, para mim afirma: "Vós deveis morrer"

Nunc lento sonitu dicunt, morieris

Now, this bell, tolling softly far another, says to me: Thou must die

PERCHANCE he for whom this bell tolls may be so ill, as that he knows not it tolls for him; and perchance I may think myself so much better than I am, as that they who are about me, and see my state, may have caused it to toll for me, and I know not that. The church is Catholic, universal, so are all her actions; all that she does belongs to all. When she baptizes a child, that action concerns me; for that child is thereby connected to that body which is my head too, and ingrafted into that body whereof I am a member. And when she buries a man, that action concerns me: all mankind is of one author, and is one volume; when one man dies, one chapter is not torn out of the book, but translated into a better language; and every chapter must be so translated; God employs several translators; some pieces are translated by age, some by sickness, some by war, some by justice; but God's hand is in every translation, and his hand shall bind up all our scattered leaves again for that library where every book shall lie open to one another. As therefore the bell that rings to a sermon calls not upon the preacher only, but upon the congregation to come, so this bell calls us all; but how much more me, who am brought so near the door by this sickness. There was a contention as far as a suit (in which both piety and dignity, religion and estimation, were mingled), which of the religious orders should ring to prayers first in the morning; and it was determined, that they should ring first that rose earliest. If we understand aright the dignity of this bell that tolls for our evening prayer, we would be glad to make it ours by rising early, in that application, that it might be ours as well as his, whose indeed it is. The bell doth toll for him that thinks it doth; and though it intermit again, yet from that minute that that occasion wrought upon him, he is united to God. Who casts not up his eye to the sun when it rises? But who takes off his eye from a comet when that breaks out? Who bends not his ear to any bell which upon any occasion rings? But who can remove it from that bell which is passing a piece of himself out of this world? No man is an island, entire of itself; every man is a piece of the continent, a part of the main. If a clod be washed away by the sea, Europe is the less, as well as if a promontory were, as

TALVEZ aquele para quem esse sino soa possa estar tão enfermo quanto para aquele que sabe que o sino não está tocando para ele; e talvez, podendo eu mesmo acreditar que sou tão melhor do que realmente sou, assim como aqueles que se preocupam comigo e, vendo a minha condição, possa eu acreditar que os sinos soam por mim e eu não o saiba. A Igreja é católica, universal, assim como são todas as suas ações, e tudo o que ela realiza pertence a todos. Quando ela batiza uma criança, que ação se refere a mim? Através disso, aquela criança estará conectada àquela mente com o qual também estou ligado, e estará inserida àquele corpo do qual também sou membro. E quando a Igreja sepulta um homem, que ação se refere a mim? Toda a Humanidade é feita de um único autor e pertence a um único volume; quando um homem morre, um capítulo não é retirado do livro, mas sim traduzido para uma linguagem melhor, e cada capítulo desse modo será sempre traduzido. Deus se vale de vários tradutores; algumas peças são traduzidas pela idade, algumas pelas doenças, algumas pelas guerras, outras pela justiça, mas a mão de Deus está sempre em toda forma de tradução, e Sua mão sempre ata todas nossas folhas dispersas para que a biblioteca, onde todos os livros se encontram em paz, possa se abrir para os outros. Assim, o sino que chama para o sermão não funciona apenas para o pregador, mas também para a congregação, pois esse sino serve a todos nós, e ainda mais a mim que estou sendo trazido para tão perto da passagem por essa doença. Houve uma disputa tão distante quanto um processo, na qual a piedade e a dignidade, a religião e a estima foram amalgamadas; na qual as ordens religiosas deveriam soar as matinais e em que foi determinado que elas deveriam soar antes das primeiras rosas. Se nós entendermos corretamente a dignidade desse sino que toca para as nossas orações vespertinas, também deveríamos ser agradecidos pelo sino matinal, em seus afazeres, por ele ser tão nosso e tão bom, como de fato o é. O sino faz o próprio som para aquele que pensa que faz, e que pensa que intermitentemente ele fará, pois naquele preciso minuto, naquela ocasião em que ele foi forjado, ele se uniu à Divindade. Quem não consegue resistir a olhar para o sol quando ele nasce? De fato, quem afasta o seu olhar de um cometa quando ele irrompe no céu? Quem não se curva ao ouvir um sino qualquer quando este toca para qualquer ocasião? E de fato quem pode removê-lo se aquele sino é a peça que o liga precisamente a este mundo? Nenhum homem é uma ilha,

well as if a manor of thy friend's or of thine own were: any man's death diminishes me, because I am involved in mankind, and therefore never send to know for whom the bells tolls; it tolls for thee. Neither can we call this a begging of misery, or a borrowing of misery, as though we were not miserable enough of ourselves, but must fetch in more from the next house, in taking upon us the misery of our neighbours. Truly it was an excusable covetousness if we did, for affliction is a treasure, and scarce any man hath enough of it. No man hath affliction enough that is not matured and ripened by and made fit for God by that affliction. If a man carry treasure in bullion, or in a wedge of gold, and have none coined into current money, his treasure will not defray him as he travels. Tribulation is treasure in the nature of it, but it is not current money in the use of it, except we get nearer and nearer our home, heaven, by it. Another man may be sick too, and sick to death, and this affliction may lie in his bowels, as gold in a mine, and be of no use to him; but this bell, that tells me of his affliction, digs out and applies that gold to me: if by this consideration of another's danger I take mine own into contemplation, and so secure myself, by making my recourse to my God, who is our only security.

inteiramente isolado; todo homem é um pedaço de um continente, uma parte de um todo. Se um torrão de terra for levado pelas águas até o mar, a Europa fica diminuída, como se fosse um promontório, como se fosse o solar de teus amigos ou o teu próprio; a morte de qualquer homem me diminui, porque sou parte do gênero humano. E por isso não perguntai: Por quem os sinos dobram; eles dobram por vós. Ninguém pode chamar isso de um ato a favor do pesar ou algo emprestado do sofrimento, pois sabeis que não somos miseráveis o suficiente para termos pena de nós mesmos, mas que devemos permanecer encantados pela nossa próxima morada, levando em conta o pesar de nossos vizinhos. Verdadeiramente não há uma cobiça justificável se agirmos assim; pois a aflição é um tesouro e é a cicatriz de qualquer homem que a possui. Nenhum homem que possui essa aflição sabe que não está preparado o suficiente para amadurecer e se colocar diante de Deus por ela. Se um homem carrega um tesouro em barras de ouro, ou em lingotes, mas não o tem em moedas cunhadas, sabe que esse seu tesouro não durará o percurso de uma viagem. A tribulação é o tesouro que existe na natureza do ser, mas não é a moeda corrente em uso para ele, exceto se nós nos aproximarmos cada vez mais de nossa verdadeira casa, o Firmamento. Outro homem pode estar doente também, ter uma doença mortal, e sua aflição permanecer dentro deste como o ouro nas minas, mas mesmo assim não ter serventia para ele; mas esse sino que me traz sua aflição vai às profundezas e traz esse ouro para mim, e talvez pela consideração dos temores de um outro, largo-me à contemplação e sinto-me assim seguro de mim ao fazer de meu refúgio nosso Deus, que é de fato nossa única segurança.

18

O sino toca e conta-me através dele que eu estou morto

At inde mortuus es, sonitu celeri, pulsuque agitato

The bell rings out, and tells me in him, that I am dead

THE BELL rings out, the pulse thereof is changed; the tolling was a faint and intermitting pulse, upon one side; this stronger, and argues more and better life. His soul is gone out, and as a man who had a lease of one thousand years after the expiration of a short one, or an inheritance after the life of a man in a consumption, he is now entered into the possession of his better estate. His soul is gone, whither? Who saw it come in, or who saw it go out? Nobody; yet everybody is sure he had one, and hath none. If I will ask mere philosophers what the soul is, I shall find amongst them that will tell me, it is nothing but the temperament and harmony, and just and equal composition of the elements in the body, which produces all those faculties which we ascribe to the soul; and so in itself is nothing, no separable substance that overlives the body. They see the soul is nothing else in other creatures, and they affect an impious humility to think as low of man. But if my soul were no more than the soul of a beast, I could not think so; that soul that can reflect upon itself, consider itself, is more than so. If I will ask, not mere philosophers, but mixed men, philosophical divines, how the soul, being a separate substance, enters into man, I shall find some that will tell me, that it is by generation and procreation from parents, because they think it hard to charge the soul with the guiltiness of original sin if the soul were infused into a body in which it must necessarily grow foul, and contract original sin whether it will or no; and I shall find some that will tell me, that it is by immediate infusion from God, because they think it hard to maintain an immortality in such a soul, as should be begotten and derived with the body from mortal parents. If I will ask, not a few men, but almost whole bodies, whole churches, what becomes of the souls of the righteous at the departing thereof from the body, I shall be told by some, that they attend an expiation, a purification in a place of torment; by some, that they attend the fruition of the sight of God in a place of rest, but yet but of expectation; by some, that they pass to an immediate possession of the presence of God. Saint Augustine studied the nature of the soul as much as any thing, but the salvation of the soul; and he

O SINO toca e com isso o pulso se altera; o tocar dos sinos leva ao desmaio e à interrupção do pulso por um lado; esse está mais forte, e com isso argumenta mais com uma vida melhor. Sua alma se foi, e como um homem que tinha uma renda de mil anos após a expiração de um breve tempo, ou uma herança após a vida de um homem que se consumiu, ele agora está ingressando na posse de sua melhor situação social. Sua alma se foi, para onde? Quem a viu chegar e quem a viu partir? Ninguém, mesmo que todo mundo tenha a certeza ou não de ter uma. Se eu perguntar a simples filósofos sobre o que é a alma, e me encontrar entre eles para que me contem, ela nada será além de temperamento e harmonia, de composição justa e igualitária de elementos no corpo, que produz todas aquelas faculdades que nós relacionamos à alma; e mesmo assim ela em si nada é, nem substância separável que sobrevive ao corpo. Eles vêem que a alma não é nada em outras criaturas e atacam a humildade ímpia pensando no nível do homem. Mas se minha alma nada mais é que a alma de uma besta, eu não poderia pensar ser assim, pois a alma refletindo sobre si mesma, considerando sobre si mesma, é mais do que isso. Se eu perguntar, não a simples filósofos, mas a uma gama de homens, sacerdotes filosóficos, como a alma, sendo uma substância separada, ingressa no homem, eu descobriria algo a mais que eles me diriam, que é por geração e procriação dos pais, pois eles acreditam ser difícil carregar a alma com a culpa do pecado original se a alma for infundida em um corpo que deverá necessariamente crescer de modo grosseiro, sem saber se contrairá ou não o pecado original; e descobriria algo a mais que eles me diriam, que é pela imediata infusão a partir de Deus, pois eles acreditam ser difícil manter uma certa imortalidade em algo como a alma, sendo esta produzida e derivada do corpo de pais mortais. Se eu perguntar, não a poucos homens, mas a praticamente grandes corpos, a todas as Igrejas, o que torna as almas dos justos em seu desprendimento a partir do corpo, eu descobria por alguns que eles estão presentes à expiação, uma purificação no lugar de tormento; por outros, que eles estão presentes à fruição da manifestação de Deus em um local de descanso, mesmo que ainda no limite da expectativa; por outros, que eles passam a uma imediata possessão da presença de Deus. Santo Agostinho estudou a natureza da alma tanto quanto qualquer outra coisa, além da salvação da alma, e com isso enviou uma mensagem expressa a São Jerônimo para consultar sobre alguns pontos a respeito da

sent an express messenger to Saint Hierome, to consult of some things concerning the soul; but he satisfies himself with this: "Let the departure of my soul to salvation be evident to my faith, and I care the less how dark the entrance of my soul into my body be to my reason." It is the going out, more than the coming in that concerns us. This soul this bell tells me is gone out, whither? Who shall tell me that? I know not who it is, much less what he was, the condition of the man, and the course of his life, which should tell me whither he is gone, I know not. I was not there in his sickness, nor at his death; I saw not his way nor his end, nor can ask them who did, thereby to conclude or argue whither he is gone. But yet I have one nearer me than all these, mine own charity; I ask that, and that tells me he is gone to everlasting rest, and joy, and glory. I owe him a good opinion; it is but thankful charity in me, because I received benefit and instruction from him when his bell tolled; and I, being made the fitter to pray by that disposition, wherein I was assisted by his occasion, did pray for him; and I pray not without faith; so I do charitably, so I do faithfully believe, that that soul is gone to everlasting rest, and joy, and glory. But for the body, how poor a wretched thing is that? We cannot express it so fast, as it grows worse and worse. That body, which scarce three minutes since was such a house, as that that soul, which made but one step from thence to heaven, was scarce thoroughly content to leave that for heaven; that body hath lost the name of a dwelling-house, because none dwells in it, and is making haste to lose the name of a body, and dissolve to putrefaction. Who would not be affected to see a clear and sweet river in the morning, grow a kennel of muddy land-water by noon, and condemned to the saltiness of the sea by night? And how lame a picture, how faint a representation is that, of the precipitation of man's body to dissolution? Now all the parts built up, and knit by a lovely soul, now but a statue of clay, and now these limbs melted off, as if that clay were but snow; and now the whole house is but a handful of sand, so much dust, and but a peck of rubbish, so much bone. If he who, as this bell tells me, is gone now, were some excellent artificer, who comes to him for a cloak or for a garment now? Or for counsel, if he were a lawyer? If a magistrate, for justice? Man, before he hath his immortal soul, hath a soul of sense, and a soul of vegetation before that: this immortal soul did not forbid other souls to be in us before, but when this soul departs, it carries all with it; no more vegetation, no more sense. Such a mother-in-law is the earth, in respect of our natural mother; in her womb we grew, and when she was delivered of us, we were planted in some place, in some calling in the world; in the womb of the earth we diminish,

alma; e assim, ele se satisfez com o seguinte: "Deixai com que a partida da minha alma em direção à salvação seja evidenciada pela minha fé, e preocupo-me menos em quão sombrio é o ingresso da minha alma em meu corpo pela minha razão". É o desprendimento da alma, mais do que o seu ingresso, que importa para nós. A alma cuja partida esse sino me anuncia, para onde vai? Quem poderá me dizer isso? Eu não sei quem é, muito menos o que ele era, a condição do homem, e o curso de sua vida, que poderia me dizer para onde ele está indo, também não sei. Eu não estive lá acompanhando sua doença, nem sua morte; eu não vi o seu caminho, nem seu fim, nem posso perguntar a eles como foi, e através disso concluir ou argumentar para onde ele foi. Mas, ainda que eu tenha algo mais próximo de mim do que todos esses, a minha própria caridade, eu pergunto sobre isso, e isso me conta que ele está se dirigindo ao descanso, ao gozo e à glória eternos. Eu lhe devo uma boa opinião: é nada além da grata caridade que há em mim, pois recebi o proveito e a instrução vinda dele quando o sino foi tocado para ele; e eu, sendo treinado para orar por aquela disposição, no local em que compareci naquela ocasião, de fato orei por ele; e não orei sem fé; eu o fiz com a devida caridade, com a devida crença dedicada, para aquela alma que está de partida para o descanso, o gozo e a glória eternos. Mas para o corpo, quão pobre algo desprezível pode ser? Nós não podemos expressá-lo tão rápido, uma vez que ele cresce de forma cada vez pior. Aquele corpo, que há meros três minutos se encontrava naquela casa, assim como sua alma, que produziu nada além de um simples passo em direção ao firmamento, que dificilmente considerou deixá-la em troca dos céus; aquele corpo que tem perdido o nome de sua morada, pois ninguém mais nela habita, e que se apressa em deixar de ser chamado de corpo, dissolve-se em putrefação. Quem não se comoveria com um límpido e doce rio pela manhã, que se transforma em um canal de água fétida e lamacenta ao meio-dia e que está condenado à salinidade do mar ao anoitecer? E quão imperfeita é uma imagem, quão fraca é uma representação da precipitação do corpo do homem em direção à dissolução? Agora todas as partes construídas e unidas por uma alma formosa, agora nada mais são do que uma estátua de lama, e seus membros se dissolvem, como se a argila fosse nada mais do que neve; e agora a totalidade dessa morada nada mais é que um punhado de areia, se tanto pó, e nada além de um punhado de entulho, de um punhado de ossos. Se ele, para quem esse sino toca, que partiu agora, fosse um excelente artífice, quem o procuraria agora em busca de um manto ou de um vestido? Ou por um conselho, se ele fosse um advogado? Se um magistrado, por justiça? O homem, antes de ter sua alma imortal, possui uma alma da consciência, uma alma vegetativa, antes desta última: essa alma imortal não proíbe as outras almas de estarem em nós antes dela, mas quando essa que é imortal parte, tudo carrega com ela; nada mais vegetativo, nada mais consciente. Tal como uma mãe adotiva é a terra, a despeito de nossa mãe natural; em seu útero nós crescemos, e quando ela nos entrega, somos plantados em algum lugar, com algum objetivo no mundo; no útero da terra nós nos reduzimos, e

and when she is delivered of us, our grave opened for another; we are not transplanted, but transported, our dust blown away with profane dust, with every wind.

quando ela nos entrega, nossa sepultura é apertada para outro; nós não somos transplantados, mas transportados, o pó do qual somos feitos, soprado junto ao pó profano, com o levar dos ventos.

19

Ao final, os médicos, após uma longa e agitada jornada, vêem terra: eles têm assim bons sinais da regressão da doença, e assim podem seguramente proceder à purificação

Oceano tandem emenso, aspicienda resurgit terra; vident, justis, medici, jam cocta mederi se posse, indiciis

At last the physicians, after a long and stormy voyage, see land: they have so good signs of the concoction of the disease, as that they may safely proceed to purge

ALL this while the physicians themselves have been patients, patiently attending when they should see any land in this sea, any earth, any cloud, any indication of concoction in these waters. Any disorder of mine, any pretermission of theirs, exalts the disease, accelerates the rages of it; no diligence accelerates the concoction, the maturity of the disease; they must stay till the season of the sickness come; and till it be ripened of itself, and then they may put to their hand to gather it before it fall off, but they cannot hasten the ripening. Why should we look for it in a disease, which is the disorder, the discord, the irregularity, the commotion and rebellion of the body? It were scarce a disease if it could be ordered and made obedient to our times. Why should we look for that in disorder, in a disease, when we cannot have it in nature, who is so regular and so pregnant, so forward to bring her work to perfection and to light? Yet we cannot awake the July flowers in January, nor retard the flowers of the spring to autumn. We cannot bid the fruits come in May, nor the leaves to stick on in December. A woman that is weak cannot put off her ninth month to a tenth for her delivery, and say she will stay till she is stronger; nor a queen cannot hasten it to a seventh, that she may be ready for some other pleasure. Nature, if we look for durable and vigorous effects, will not admit preventions, nor anticipations, nor obligations upon her, for they are precontracts, and she will be left to her liberty. Nature would not be spurred, nor forced to mend her pace; nor power, the power of man, greatness, loves not that kind of violence neither. There are of them that will give, that will do justice, that will pardon, but they have their own seasons for all these, and he that knows not them shall starve before that gift come, and ruin before the justice, and die before the pardon save him. Some tree bears no fruit, except much dung be laid about it; and justice comes not from some till they be richly manured: some trees require much visiting, much watering, much labour; and some men give not their fruits but upon importunity: some trees require incision, and pruning, and lopping; some men must be intimidated and syndicated with commissions, before they will deliver the fruits of justice: some trees require the early and the often

TUDO isso, enquanto os próprios médicos têm sido pacientes, pacientemente atendendo, quando eles deveriam ver qualquer sinal de terra nesse mar, qualquer aterramento, qualquer nuvem, qualquer indicação de alteração nessas águas. Qualquer desordem em mim, qualquer omissão deles, exalta a doença e acelera a sua cólera; nenhuma diligência acelera a alteração, a maturidade da enfermidade; eles devem permanecer até que a temporada da doença termine; até que ela amadureça por si mesma, e então eles possam colocar sua mão para reuni-la antes de sua queda, uma vez que eles não podem apressar a maturação. Por que nós deveríamos buscar na doença o que é a desordem, a discórdia, a irregularidade, a comoção e a rebelião do corpo? Raramente encontra-se uma doença que possa ser ordenada e tornada obediente em nossos tempos. Por que deveríamos buscar aquilo na desordem, na enfermidade, quando nós não podemos tê-la na natureza que é tão regular e tão abundante, para trazê-la à frente do trabalho para a perfeição e para a luz? Ainda que não possamos colher as flores de julho em janeiro, nem impedir as flores da primavera no outono. Nós não podemos desejar que as frutas venham em maio, nem que as folhagens retornem em dezembro. Uma mulher que está debilitada não pode adiar o seu nono mês até um décimo para o seu parto, e dizer que ela permanecerá assim até que esteja mais forte; nem uma rainha pode apressá-lo para um sétimo mês, para que ela possa estar pronta para algum outro prazer. A natureza, se nós procurarmos os efeitos duráveis e vigorosos, não admite impedimentos, nem antecipações, nem qualquer obrigação sobre ela, pois eles são pré-contratados, e, com isso, ela é deixada à sua liberdade. A natureza não poderia ser apressada, nem forçada a retificar o seu andamento; nem movimentar, a força do homem, a grandiosidade, de não amar de forma alguma aquele tipo de violência. Há aqueles que dão, que desejam realmente a justiça, que desejam o perdão, mas eles têm o seu próprio tempo para tudo isso, e aquele que sabe que eles não se privam de alimento diante do dom que lhes é dado, se arruína diante da justiça, e morre antes que o perdão o salve. Algumas árvores não produzem frutos, apesar da quantidade de adubo que lhes é lançado; e a justiça não vem de algo sem que seja ricamente fertilizada: algumas árvores requerem muito cuidado, muita rega, muito labor; e alguns homens não dão os seus frutos a não ser sob muita insistência: algumas árvores requerem poda,

access of the sun; some men open not, but upon the favours and letters of court mediation: some trees must be housed and kept within doors; some men lock up, not only their liberality, but their justice and their compassion, till the solicitation of a wife, or a son, or a friend, or a servant, turn the key. Reward is the season of one man, and importunity of another; fear the season of one man, and favour of another; friendship the season of one man, and natural affection of another; and he that knows not their seasons, nor cannot stay them, must lose the fruits: as nature will not, so power and greatness will not be put to change their seasons, and shall we look for this indulgence in a disease, or think to shake it off before it be ripe? All this while, therefore, we are but upon a defensive war, and that is but a doubtful state; especially where they who are besieged do know the best of their defences, and do not know the worst of their enemy's power; when they cannot mend their works within, and the enemy can increase his numbers without. O how many far more miserable, and far more worthy to be less miserable than I, are besieged with this sickness, and lack their sentinels, their physicians to watch, and lack their munition, their cordials to defend, and perish before the enemy's weakness might invite them to sally, before the disease show any declination, or admit any way of working upon itself? In me the siege is so far slackened, as that we may come to fight, and so die in the field, if I die, and not in a prison.

e corte, e desbaste; alguns homens devem ser intimados e sindicados através de comissões antes que entrem nos frutos da justiça: algumas árvores requerem o freqüente acesso ao sol da manhã; alguns homens não se abrem, a não ser pelos favores e cartas de mediação da corte: algumas árvores devem ser protegidas e mantidas dentro de casa; alguns homens trancam-se, não somente para a tolerância, mas também para a justiça e a compaixão, até que a solicitação de uma esposa, de um filho, de um amigo ou de um servo vire a chave. A recompensa é o que amadurece um homem e o que importuna outros; que amedontra a vida de um e favorece a de outro; que é a amizade de uma vida de um homem e a afeição natural de outro; e aquele que não conhece os períodos de sua vida, que não pode vivê-los, perde os frutos que pode produzir: do mesmo modo que a natureza não pode ser modificada, o poder e a grandiosidade não podem ter suas estações alteradas, e assim nós procuraríamos essa indulgência em uma enfermidade, ou acreditaríamos que podemos derrubá-la da árvore antes de amadurecer? Então, entre tudo isso, nós apenas nos encontramos em uma guerra defensiva, e que é nada mais do que um estado duvidoso, especialmente onde eles que são sitiados conhecem o melhor de suas defesas, e desconhecem o pior da força inimiga; quando eles não podem compor suas obras com isso, é quando o inimigo cresce em número com essas deficiências. Ó, quando muito distante, mais miserável, e distante é ser mais valoroso para ser menos miserável do que eu, são os sitiados por essa enfermidade, e, na falta de seus sentinelas, seus médicos estão a velar, e na falta de munição, seus fortificantes para defender, e perecer diante da fraqueza do inimigo que pode convidá-lo para a expedição, antes que a doença mostre alguma declinação, ou admitir qualquer meio de trabalhar sob si mesma? Em mim o cerco está longe de ser enfraquecido, é assim que podemos ir à luta e assim morrer no campo, se eu morrer, e não na prisão.

20

Sob estas indicações dos assuntos compreendidos, eles prosseguem com a purificação

Id agunt

Upon these indications of digested matter, they proceed to purge

THOUGH counsel seem rather to consist of spiritual parts than action, yet action is the spirit and the soul of counsel. Counsels are not always determined in resolutions, we cannot always say, this was concluded; actions are always determined in effects, we can say, this was done. Then have laws their reverence and their majesty, when we see the judge upon the bench executing them. Then have counsels of war their impressions and their operations, when we see the seal of an army set to them. It was an ancient way of celebrating the memory of such as deserved well of the state, to afford them that kind of statuary representation, which was then called Hermes, which was the head and shoulders of a man standing upon a cube, but those shoulders without arms and hands. Altogether it figured a constant supporter of the state, by his counsel; but in this hieroglyphic, which they made without hands, they pass their consideration no farther but that the counsellor should be without hands, so far as not to reach out his hand to foreign temptations of bribes, in matters of counsel, and that it was not necessary that the head should employ his own hand; that the same men should serve in the execution which assisted in the counsel; but that there should not belong hands to every head, action to every counsel, was never intended so much as in figure and representation. For as matrimony is scarce to be called matrimony where there is a resolution against the fruits of matrimony, against the having of children, so counsels are not counsels, but illusions, where there is from the beginning no purpose to execute the determinations of those counsels. The arts and sciences are most properly referred to the head; that is their proper element and sphere; but yet the art of proving, logic, and the art of persuading, rhetoric, are deduced to the hand, and that expressed by a hand contracted into a fist, and this by a hand enlarged and expanded; and evermore the power of man, and the power of God, himself is expressed so. All things are in his hand; neither is God so often presented to us, by names that carry our consideration upon counsel, as upon execution of counsel; he oftener is called the Lord of Hosts than by all other names, that may be referred to the other signification. Hereby therefore

AINDA QUE um conselho possa ser entendido como consistido mais de partes espirituais do que de partes ativas, é a ação que é o espírito e a alma do conselho. Os conselhos não são sempre determinados por resoluções, e assim não podemos sempre dizer que estes se encontram concluídos; as ações são sempre determinadas por efeitos, como podemos dizer, pelo que foi feito. Assim, têm as leis as suas reverências e as suas majestades, quando vemos o juiz do alto de sua tribuna executando-as. Do mesmo modo têm os conselhos de guerra suas impressões e suas operações, quando vemos o timbre do exército colocado sobre elas. Era um antigo modo de se celebrar a memória daqueles que merecem o bem do Estado, de lhes proporcionar aquela representação de estátuas, que reconhecemos como sendo a de Hermes, que era a de uma cabeça e ombros de um homem, fixada sobre um cubo, mas não tendo aqueles ombros, nem braços, nem mãos. Na totalidade, ele figura como um constante apoio do Estado, por seu conselho; mas nesse hieróglifo, que eles produziram sem as mãos, transmitem sua consideração não muito distante do que o conselheiro faria com suas mãos, tão longe quanto ele atingiria com sua mão as tentações estrangeiras do suborno, em matérias de conselho, e que não eram necessários, uma vez que a cabeça deveria empregar a própria mão; assim, os mesmos homens deveriam servir na execução para a qual assistiram no conselho; além do que lá não deveria existir mãos para cada cabeça, ação para cada conselho, que nunca eram planejadas tanto na figura quanto na representação. Do mesmo modo que um matrimônio dificilmente é chamado de matrimônio quando há uma resolução contra os frutos do casamento, contra a decisão de se ter filhos, assim os conselhos não são conselhos, mas sim ilusões, quando não há desde o início o propósito de se executar as determinações daqueles conselhos. As artes e as ciências são associadas mais apropriadamente à cabeça; pois lá estão os elementos e esferas apropriados; mas, ainda que a arte da demonstração, a lógica, e a arte do convencimento, a retórica são deduzidas pela mão, aquela expressada por uma mão contraída, de punho fechado, e esta expressada pela mão aberta e expandida; eternamente o poder do homem, e o poder de Deus, Ele mesmo, são expressos do mesmo modo. Todas as coisas partem de Sua mão; Deus é freqüentemente apresentado a nós tanto por nomes que carregam nossa consideração sob seu conselho como sob

we take into our meditation the slippery condition of man, whose happiness in any kind, the defect of any one thing conducing to that happiness, may ruin; but it must have all the pieces to make it up. Without counsel, I had not got thus far; without action and practice, I should go no farther towards health. But what is the present necessary action? Purging, a withdrawing, a violating of nature, a farther weakening. O dear price, and O strange way of addition, to do it by subtraction; of restoring nature, to violate nature; of providing strength, by increasing weakness. Was I not sick before? And is it a question of comfort to be asked now, did your physic make you sick? Was that it that my physic promised, to make me sick? This is another step upon which we may stand, and see farther into the misery of man, the time, the season of his misery; it must be done now. O over-cunning, over-watchful, over-diligent, and over-sociable misery of man, that seldom comes alone, but then when it may accompany other miseries, and so put one another into the higher exaltation, and better heart. I am ground even to an attenuation and must proceed to evacuation, all ways to exinanition and annihilation.

a execução do conselho; Ele freqüentemente é denominado o Senhor das Hostes, além de outros nomes, que podem se referir a outro significado. Por meio disso, então, nós nos lançamos dentro de nossa meditação, a delicada condição do homem, cuja felicidade de qualquer tipo, o defeito de qualquer coisa que conduza àquela felicidade, pode causar a ruína; pois deve-se ter todas as peças para construí-lo. Sem conselho, eu não iria assim tão longe; sem ação e prática, eu não deveria ir tão longe em direção à saúde. Mas qual é a necessária ação presente? Purgando, excretando, uma violação da natureza, um enfraquecimento adicional. Ó, caro prêmio, ó, estranho modo de adição, que se obtém por subtração; de natureza restaurada, de natureza violada; de força determinada, pelo aumento das fraquezas. Por acaso, não estava eu doente antes? E isso é uma questão de conforto a ser perguntado agora, o seu estado físico o deixa enfermo? Era o meu estado físico comprometido que me tornou doente? Esse é outro passo no qual nós podemos permanecer, e ver nada além do que a miséria humana, o tempo, o tempo de seu sofrimento, e isso deve ser feito agora. Ó, astúcia, vigilância e diligência excessivas, e, ó, miséria social excessiva do homem, que raramente vem desacompanhada, mas acompanhada de outros sofrimentos, e assim colocar dentro de outra exaltação superior, e dentro de um melhor coração. Estou me triturando para qualquer atenuação e devo assim proceder para minha retirada, por todos os meios de exaustão e aniquilação.

21

Deus prospera no ofício, e Ele, através deles, chama
Lázaro para fora de sua tumba, e eu para fora de meu leito

*Atque annuit ille, qui, per eos,
clamat, linquas jam, lazare, lectum*

God prospers their practice, and he, by them, calls Lazarus
out of his tomb, me out of my bed

IF man had been left alone in this world at first, shall I think that he would not have fallen? If there had been no woman, would not man have served to have been his own tempter? When I see him now subject to infinite weaknesses, fall into infinite sin without any foreign temptations, shall I think he would have had none, if he had been alone? God saw that man needed a helper, if he should be well; but to make woman ill, the devil saw that there needed no third. When God and we were alone in Adam, that was not enough; when the devil and we were alone in Eve, it was enough. O what a giant is man when he fights against himself, and what a dwarf when he needs or exercises his own assistance for himself? I cannot rise out of my bed till the physician enable me, nay, I cannot tell that I am able to rise till he tell me so. I do nothing, I know nothing of myself; how little and how impotent a piece of the world is any man alone? And how much less a piece of himself is that man? So little as that when it falls out (as it falls out in some cases) that more misery and more oppression would be an ease to a man, he cannot give himself that miserable addition of more misery. A man that is pressed to death, and might be eased by more weights, cannot lay those more weights upon himself: he can sin alone, and suffer alone, but not repent, not be absolved, without another. Another tells me, I may rise; and I do so. But is every raising a preferment? Or is every present preferment a station? I am readier to fall to the earth, now I am up, than I was when I lay in the bed. O perverse way, irregular motion of man; even rising itself is the way to ruin! How many men are raised, and then do not fill the place they are raised to? No corner of any place can be empty; there can be no vacuity. If that man do not fill the place, other men will; complaints of his insufficiency will fill it; nay, such an abhorring is there in nature of vacuity, that if there be but an imagination of not filling, in any man, that which is but imagination, neither will fill it, that is, rumour and voice, and it will be given out (upon no ground but imagination, and no man knows whose imagination), that he is corrupt in his place, or insufficient in his place, and another prepared to succeed him in his place. A man rises sometimes and stands not, because he

SE o homem tivesse sido deixado sozinho neste mundo desde o princípio, poderia eu pensar que ele não teria caído? Se não houvesse nenhuma mulher, não teria o homem se entregue para servir de sua própria tentação? Quando eu agora o vejo como tema de infinitas fraquezas, caindo em infinitos pecados sem qualquer tentação exterior, poderia eu acreditar que ele nada teria, se estivesse sozinho? Deus viu que o homem precisava de um auxiliar, mesmo estando ele bem; assim que Ele criou a maldade da mulher, o diabo viu que não haveria a necessidade de um terceiro lá. Quando Deus e nós nos encontramos sozinhos em Adão, nada é suficiente; quando o diabo e nós nos encontramos sozinhos em Eva, tudo é suficiente. Ó, quão gigante é o homem quando ele luta contra si mesmo, e quão diminuto quando necessita ou exercita seu próprio auxílio para si mesmo. Não posso levantar-me de meu leito até que o médico assim me permita, e, além disso, não posso contar que sou capaz de levantar-me até que ele assim me diga. Eu nada faço, eu nada sei de mim mesmo; quão diminuto e quão impotente parte do mundo é qualquer homem sozinho? E quanto menos uma parte dele mesmo que é aquele homem? Quão pouco assim que ele cai (pois ele cai em alguns casos) quanto mais sofrimento e mais opressão for liberada para um homem, ele não pode dar a si mesmo aquela miserável adição de mais sofrimento. Um homem que é oprimido pela morte, e que pode ser liberado por mais sobrecarga, não pode deitar mais dessas cargas sobre si mesmo: ele pode pecar sozinho e sofrer sozinho, mas não pode arrepender-se, nem ser absolvido, sem a presença de outro. Outra pessoa me diz que eu posso me levantar; e eu assim o faço. Mas todo erguimento é uma promoção? Ou toda promoção atual é uma estação de sofrimento? Eu estou preparado para descer à terra, que assim estava quando me encontrava em meu leito, e agora estou em pé. Ó, caminho perverso, ó, movimento irregular do homem; cada erguimento é em si um caminho para a ruína! Quantos homens se levantam e não encontram o local para o qual se levantaram? Nenhum canto de nenhum lugar pode ficar vazio: o vazio não pode existir. Se um determinado homem não preenche um lugar, outros homens preencherão; queixas de sua insuficiência o preencherão; além disso, do mesmo modo que a abominação está lá na natureza da vacuidade, pois se não houver nada mais do que uma imaginação do não preenchimento, em qualquer homem, no qual nada há além de imaginação, nem assim preencherá, pois é, rumor e voz, e ela será

doth not or is not believed to fill his place; and sometimes he stands not because he over fills his place. He may bring so much virtue, so much justice, so much integrity to the place, as shall spoil the place, burthen the place; his integrity may be a libel upon his predecessor and cast an infamy upon him, and a burthen upon his successor to proceed by example, and to bring the place itself to an undervalue and the market to an uncertainty. I am up, and I seem to stand, and I go round, and I am a new argument of the new philosophy, that the earth moves round; why may I not believe that the whole earth moves, in a round motion, though that seem to me to stand, when as I seem to stand to my company, and yet am carried in a giddy and circular motion as I stand? Man hath no centre but misery; there, and only there, he is fixed, and sure to find himself. How little so ever he be raised, he moves, and moves in a circle giddily; and as in the heavens there are but a few circles that go about the whole world, but many epicycles, and other lesser circles, but yet circles; so of those men which are raised and put into circles, few of them move from place to place, and pass through many and beneficial places, but fall into little circles, and, within a step or two, are at their end, and not so well as they were in the centre, from which they were raised. Every thing serves to exemplify, to illustrate man's misery. But I need go no farther than myself: for a long time I was not able to rise; at last I must be raised by others; and now I am up, I am ready to sink lower than before.

distribuída (em nenhum terreno além da imaginação – e nenhum homem conhece de fato qual imaginação), pois ele é corrupto em seu lugar, ou insuficiente em seu lugar, e outro está preparado para sucedê-lo em seu lugar. Um homem se ergue algumas vezes e nem sempre permanece de pé, pois ele não deve e não pode acreditar na ocupação de seu lugar; e muitas vezes ele não permanece por exagerar na ocupação de seu lugar. Ele pode trazer tanta virtude, tanta justiça, tanta integridade ao lugar quanto corromper o lugar, quanto sobrecarregar o lugar; sua integridade pode ser um libelo contra seu predecessor e lançar uma infâmia contra ele, além de uma sobrecarga sobre seu sucessor ao proceder, por exemplo, ao trazer o próprio lugar a uma situação subestimada e o mercado, a uma incerteza. Estou em pé, e parece que assim permaneço, e assim estou lúcido; eu sou um novo argumento de uma nova filosofia pela qual a terra circula; pois eu não posso acreditar que toda a terra se move, em um movimento circular, embora para mim pareça-me permanecer, quando eu vejo que permanece em minha companhia, e ainda que seja carregada em um movimento circular e vertiginoso quando estou em pé? O homem não tem um centro além de seu sofrimento; lá, e somente lá, ele está fixo, e certo de encontrar a si mesmo. Quão pouco e sempre ele se levanta, se movimenta e se move em um círculo vertiginoso; e assim como no céu não há nada além do que poucos círculos que cuidam do mundo todo[9], além dos muitos epiciclos[10], e outros círculos menores, mas ainda sim círculos; assim desses homens que se levantam e se colocam dentro de círculos, poucos deles se movem de lugar a lugar, e passam através de muitos e benéficos lugares, senão caindo dentro de pequenos círculos, e dentro de um passo ou dois, estão eles em seu fim, e não tão bem como se eles estivessem no centro, do qual eles se levantaram. Todas essas coisas servem para exemplificar, para ilustrar o sofrimento do homem. Mas eu preciso seguir não muito distante de mim mesmo: pois por muito tempo eu não fui capaz de me levantar; finalmente eu devo me levantar através dos outros e agora estou de pé e pronto para me rebaixar ainda mais do que antes.

[9] Entendia-se à época de Donne que o firmamento como definido por Ptolomeu era constituído por uma série de esferas concêntricas, tendo a Terra em seu centro. Essas esferas eram onde os planetas e demais astros se localizavam e de onde influenciavam o cotidiano das pessoas, determinando o destino e o futuro de todos. (N.T.)

[10] Epiciclo: no sistema cosmológico de Ptolomeu (astrônomo, matemático e geógrafo grego), era órbita circular que se julgava descrita por um planeta, enquanto o centro dessa órbita descrevia outra, igualmente circular, ao redor da Terra. (N.T.)

22

Os médicos consideram a raiz e a ocasião, as brasas e o carvão, e a razão de ser da enfermidade, e assim procuram purificar ou corrigi-la

Sit morbi fomes tibi cura

The physicians consider the root and occasion, the embers, and coals, and lug of the disease, and seek to purge or correct that

HOW ruinous a farm hath man taken, in taking himself! How ready is the house every day to fall down, and how is all the ground overspread with weeds, all the body with diseases; where not only every turf, but every stone bears weeds; not only every muscle of the flesh, but every bone of the body hath some infirmity; every little flint upon the face of this soil hath some infectious weed, every tooth in our head such a pain as a constant man is afraid of, and yet ashamed of that fear, of that sense of the pain. How dear, and how often a rent doth man pay for his farm! He pays twice a day, in double meals, and how little time he hath to raise his rent! How many holidays to call him from his labour! Every day is half holiday, half spent in sleep. What reparations, and subsidies, and contributions he is put to, besides his rent! What medicines besides his diet; and what inmates he is fain to take in, besides his own family; what infectious diseases from other men! Adam might have had Paradise for dressing and keeping it; and then his rent was not improved to such a labour as would have made his brow sweat; and yet he gave it over; how far greater a rent do we pay for this farm, this body, who pay ourselves, who pay the farm itself, and cannot live upon it! Neither is our labour at an end when we have cut down some weed as soon as it sprung up, corrected some violent and dangerous accident of a disease which would have destroyed speedily, nor when we have pulled up that weed from the very root, recovered entirely and soundly from that particular disease; but the whole ground is of an ill nature, the whole soil ill disposed; there are inclinations, there is a propenseness to diseases in the body, out of which, without any other disorder, diseases will grow, and so we are put to a continual labour upon this farm, to a continual study of the whole complexion and constitution of our body. In the distempers and diseases of soils, sourness, dryness, weeping, any kind of barrenness, the remedy and the physic is, for a great part, sometimes in themselves; sometimes the very situation relieves them; the hanger of a hill will purge and vent his own malignant moisture, and the burning of the upper turf of some ground (as health from cauterizing) puts a new and a vigorous youth into that soil, and

QUÃO perto da ruína pode estar um sítio de propriedade de um homem, mantido por ele mesmo! Quão próxima da ruína total está a casa todos os dias, e como está todo o terreno tomado de ervas daninhas; não só cada músculo de carne, mas cada osso do corpo tem alguma enfermidade; cada pequena rocha sobre a face deste solo tem alguma erva daninha infecciosa, cada dente de nossa cabeça tem tanta dor quanto um homem estável tem medo, e mesmo que envergonhado daquele medo, daquele sentimento de dor. Quão caro e quão freqüente uma renda deve ser paga pelo homem por suas terras! Ele paga duas vezes ao dia, em dupla jornada, e quão pouco tempo ele tem para levantar essa renda! Quantos feriados que o tiram de seu labor! Cada dia é um meio feriado, passa-se metade dele adormecido! Quantas reparações e subsídios e contribuições que ele coloca fora, ao largo de sua renda! Quantos remédios ao lado de sua dieta, e quanto tempo como prisioneiro disso ele de bom grado permanece, longe de sua própria família; quantas doenças infecciosas adquiridas de outros homens! Adão pode ter tido o Paraíso como cenário para ser todo seu; e então sua renda não foi aumentada através do trabalho que ele deveria produzir com o suor de sua fronte; e, ainda assim, ele a perdeu; qual o enorme preço que devemos pagar por esta fazenda, este corpo, que nós pagamos a nós mesmos, que pagamos para a própria fazenda e mesmo assim não podemos viver sem ele! Não há trabalho nenhum quando chegamos ao fim, quando cortamos algumas ervas daninhas assim que elas brotam, corrigimos algum violento e perigoso acidente provocado por uma doença que vem destruir rapidamente, nem quando nós arrancamos aquela erva daninha com raiz e tudo, restabelecendo-se inteira e profundamente daquela doença em particular; mas quanto mais a terra está danificada, mais o solo é propenso; há tendências, há propensões às enfermidades do corpo, fora das quais, sem qualquer outra desordem, as enfermidades crescem e assim continuamos a trabalhar continuamente nesta fazenda, a estudar continuamente toda a complexa constituição de nosso corpo. Nos destemperos e doenças dos solos – acidez, aridez e enchentes, qualquer tipo de infertilidade – o remédio e o corpo são em grande parte e muitas vezes eles mesmos; muitas vezes a precisa situação é o próprio remédio; o dreno da colina purgará e expelirá sua própria umidade maligna e a queima da turfa do solo (na saúde com a cauterização) traz ao solo uma nova e

there rises a kind of phoenix out of the ashes, a fruitfulness out of that which was barren before, and by that which is the barrenest of all, ashes. And where the ground cannot give itself physic, yet it receives physic from other grounds, from other soils, which are not the worse for having contributed that help to them from marl in other hills, or from slimy sand in other shores, grounds help themselves, or hurt not other grounds from whence they receive help. But I have taken a farm at this hard rent, and upon those heavy covenants, that it can afford itself no help (no part of my body, if it were cut off, would cure another part; in some cases it might preserve a sound part, but in no case recover an infected); and if my body may have had any physic, any medicine from another body, one man from the flesh of another man (as by mummy, or any such composition), it must be from a man that is dead, and not as in other soils, which are never the worse for contributing their marl or their fat slime to my ground. There is nothing in the same man to help man, nothing in mankind to help one another (in this sort, by way of physic), but that he who ministers the help is in as ill case as he that receives it would have been if he had not had it; for he from whose body the physic comes is dead. When therefore I took this farm, undertook this body, I undertook to drain not a marsh but a moat, where there was, not water mingled to offend, but all was water; I undertook to perfume dung, where no one part but all was equally unsavoury; I undertook to make such a thing wholesome, as was not poison by any manifest quality, intense heat or cold, but poison in the whole substance, and in the specific form of it. To cure the sharp accidents of diseases is a great work; to cure the disease itself is a greater; but to cure the body, the root, the occasion of diseases, is a work reserved for the great physician, which he doth never any other way but by glorifying these bodies in the next world.

vigorosa juventude, e lá surgindo como um tipo de fênix de suas cinzas, uma fecundidade extraída do que se encontrava estéril anteriormente, e a partir daquilo que é a própria esterilidade, cinzas. E onde o solo não pode produzir ele mesmo seu próprio remédio, ainda assim recebe-o de outros solos, a partir de outra terra, o que não se constitui o pior por ter contribuído por ajudá-los com a greda de outras colinas, ou da areia viscosa de outras costas, áreas que os auxilia por elas mesmas, ou que não afeta outras áreas de onde recebem ajuda. Assim, eu adquiri uma fazenda nesta difícil renda, e sob estes pesados comprometimentos, que não permite qualquer ajuda (nenhuma parte de meu corpo, se não for amputada, curaria outra parte; em alguns casos, poderia preservar uma parte legítima, mas em nenhum caso recuperaria uma parte infectada); e se meu corpo não se valer de nenhum medicamento, nenhum remédio originado de outro corpo, um homem vindo da carne de outro homem (como o vindo de múmias, ou de alguma composição similar), viria de um homem que está morto, e não como em outras terras, que não são nunca a pior contribuição que vem da greda ou de seu fértil lodo para o meu solo. Não há nada similar no homem que possa ajudar outro homem, nada na humanidade para auxiliar um outro (neste caso, através de medicamento), senão aquele que ministra o auxílio nestes casos de doenças, como aqueles que a recebem, a teriam se este não a tivesse, pois aquele de cujo corpo o medicamento é obtido está morto. Quando então eu adquiri estas terras, tomando para mim este corpo, eu responsabilizei-me por drenar não um pântano, mas um canal, onde não havia água misturada que prejudicasse, mas sim toda a água; eu responsabilizei-me por perfumar o adubo, onde nenhuma parte senão toda era igualmente desagradável; eu responsabilizei-me por tornar todo o conjunto algo agradável, e não envenenado por qualquer qualidade manifestada, intenso calor ou frio, mas sim envenenado no todo da substância, e na específica forma dela. Curar os rígidos acidentes das enfermidades é uma tarefa enorme; curar a própria enfermidade é uma tarefa maior ainda; mas curar o corpo, a raiz, a razão das doenças, é um trabalho reservado ao Grande Médico, que nada faz além de glorificar estes corpos no mundo do porvir.

23

Eles me previnem do terrível perigo da recaída

Metusque, relabi

They warn me of the fearful danger of relapsing

IT IS NOT in man's body, as it is in the city, that when the bell hath rung, to cover your fire, and rake up the embers, you may lie down and sleep without fear. Though you have by physic and diet raked up the embers of your disease, still there is a fear of a relapse; and the greater danger is in that. Even in pleasures and in pains, there is a proprietary, a meum et tuum, and a man is most affected with that pleasure which is his, his by former enjoying and experience, and most intimidated with those pains which are his, his by a woeful sense of them, in former afflictions. A covetous person, who hath preoccupated all his senses, filled all his capacities with the delight of gathering, wonders how any man can have any taste of any pleasure in any openness or liberality; so also in bodily pains, in a fit of the stone, the patient wonders why any man should call the gout a pain; and he that hath felt neither, but the toothache, is as much afraid of a fit of that as either of the other of either of the other. Diseases which we never felt in ourselves come but to a compassion of others that have endured them; nay, compassion itself comes to no great degree if we have not felt in some proportion in ourselves that which we lament and condole in another. But when we have had those torments in their exaltation ourselves, we tremble at relapse. When we must pant through all those fiery heats, and sail through all those overflowing sweats, when we must watch through all those long nights, and mourn through all those long days (days and nights, so long as that Nature herself shall seem to be perverted, and to have put the longest day, and the longest night, which should be six months asunder, into one natural, unnatural day), when we must stand at the same bar, expect the return of physicians from their consultations, and not be sure of the same verdict, in any good indications, when we must go the same way over again, and not see the same issue, that is a state, a condition, a calamity, in respect of which any other sickness were a convalescence, and any greater, less. It adds to the affliction, that relapses are (and for the most part justly) imputed to ourselves, as occasioned by some disorder in us; and so we are not only passive but active in our own ruin; we do not only stand under a falling house, but pull

NÃO É do mesmo modo no corpo dos homens, como o que ocorre na cidade, que quando o sino é tocado, para anunciar seu incêndio e limpar todos as brasas, vós poderíeis deitar e dormir sem medo. Mesmo que vós tendes por medicação e alimentação limpado todas as brasas de vossa enfermidade, ainda há sempre o temor de uma recaída, e esse é o maior perigo que pode haver. Mesmo nos prazeres e nas dores, há um proprietário, um *meum et tuum*, e um homem é mais afetado com o prazer que é dele, dele por seu prazer e experiência anteriores, e mais intimidado por aquelas dores que são dele, dele por um triste conhecimento delas, nas aflições anteriores. Uma pessoa cobiçosa, que possui uma pré-ocupação de todos os seus sentidos, preenchidas todas as suas capacidades com o deleite da acumulação, assombra-se em como qualquer homem pode ter algum gosto de qualquer prazer com qualquer franqueza ou generosidade; assim também nas dores do corpo, no ajuste da unidade, o paciente assombra-se sobre o porquê de qualquer homem chamar de gota a dor que sente; e ele, não possuindo nada além de uma dor de dente, ter mais medo disso do que das outras coisas. Doenças que nós nunca sentimos em nós mesmos levam a nada além da compaixão dos outros que já as enfrentaram; não por isso, a própria compaixão não vem em um grande momento se nós não a sentimos na mesma e própria proporção pela qual nós lamentamos e nos condoemos pelos outros. Mas, quando nós próprios enfrentamos esses tormentos na exaltação delas, trememos diante da recaída. Quando devemos ofegar através de todas aquelas excitações ardentes, e navegar através de todas aquelas transpirações abundantes, quando devemos velar através de todas aquelas longas noites e permanecer de luto através de todos aqueles longos dias (dias e noites tão longos quanto a própria Natureza deve aparentar estar corrompida, e colocando o mais longo dos dias e a mais longa das noites, que são separados por seis meses, em um único e não-natural dia), quando devemos permanecer na mesma tribuna, exceto pelo retorno dos doutores de suas consultas, e não estarmos certos do mesmo resultado do júri, em qualquer das boas indicações, quando devemos seguir pelo mesmo caminho novamente, e não ver o mesmo caso, que é um estado, uma condição, uma calamidade, a despeito de qualquer outra doença ser uma convalescença, e qualquer coisa maior que isto, ser menor. Ela adiciona à aflição que as recaídas são (e, para a maior parte

it down upon us; and we are not only executed (that implies guiltiness), but we are executioners (that implies dishonour), and executioners of ourselves (and that implies impiety). And we fall from that comfort which we might have in our first sickness, from that meditation, "Alas, how generally miserable is man, and how subject to diseases" (for in that it is some degree of comfort that we are but in the state common to all), we fall, I say, to this discomfort, and self-accusing, and self-condemning: "Alas, how improvident, and in that how unthankful to God and his instruments, am I in making so ill use of so great benefits, in destroying so soon so long a work, in relapsing, by my disorder, to that from which they had delivered me": and so my meditation is fearfully transferred from the body to the mind, and from the consideration of the sickness to that sin, that sinful carelessness, by which I have occasioned my relapse. And amongst the many weights that aggravate a relapse, this also is one, that a relapse proceeds with a more violent dispatch, and more irremediably, because it finds the country weakened, and depopulated before. Upon a sickness, which as yet appears not, we can scarce fix a fear, because we know not what to fear; but as fear is the busiest and irksomest affection, so is a relapse (which is still ready to come) into that which is but newly gone, the nearest object, the most immediate exercise of that affection of fear.

delas, correta), imputando-as a nós mesmos, quando ocasionadas por alguma desordem dentro de nós, e assim nós não somos somente passivos, mas ativos em nossa própria ruína; nós não somente habitamos uma casa em ruínas, mas a colocamos abaixo sobre nós; e nós não somente executamos (aquilo que implica a culpa), mas somos os executores (o que implica a desonra) e os executores de nós mesmos (e que implica na impiedade). E nós somos derrubados daquele conforto do qual tínhamos permanecido em nossa primeira enfermidade, derrubados daquela reflexão: "Ai de mim, quão ordinariamente miserável é o homem e quão sujeito às enfermidades" (pois naquilo está alguns dos graus de conforto em que nós nos encontramos além do estado comum a todos), nós decaímos, e assim afirmo, a esse desconforto, e auto-acusação e auto-condenação: "Ai de mim, quão imprudente, e, naquilo, quão ingrato a Deus e a todos os Seus instrumentos sou eu em tornar-me tão inapto no uso de tão grandes benefícios, em destruir tão rapidamente e tão permanentemente uma obra, ao decair, por minha desordem, naquilo que eles deveriam ter me liberado": e assim minha reflexão é timidamente transferida do corpo para a mente e da consideração da enfermidade para aquele pecado, para aquela desatenção pecaminosa, pela qual eu ocasionei minha recaída. E entre as muitas cargas que agravam uma recaída, também está aquela de que uma recaída se vale com uma rapidez mais violenta, e mais irremediável, pois ela descobre um território enfraquecido e sem habitantes diante de si. Sob uma enfermidade que ainda não é aparente, nós raramente podemos enfrentar um temor, pois não sabemos o que temer; mas como o medo é a afeição mais atarefada e incomodante, assim é uma recaída (que ainda está se preparando para chegar) dentro daquilo que nada é além do que novamente está por vir, o mais íntimo dos objetos, o mais imediato dos exercícios da afeição do medo.